A vida é **curta** demais pra viver o **mínimo** das coisas

iandê
albuquerque

Copyright © Iandê Albuquerque, 2024
Copyright © Editora Planeta do Brasil, 2024
Todos os direitos reservados.

REVISÃO: Fernanda Guerriero Antunes e Caroline Silva
PROJETO GRÁFICO E DIAGRAMAÇÃO: Nine Editorial
CAPA: Renata Spolidoro
IMAGEM DE CAPA E ILUSTRAÇÕES: Lana Maciel

DADOS INTERNACIONAIS DE CATALOGAÇÃO NA PUBLICAÇÃO (CIP)
ANGÉLICA ILACQUA CRB-8/7057

Albuquerque, Iandê
 A vida é curta demais para viver o mínimo das coisas / Iandê Albuquerque. - São Paulo : Planeta do Brasil, 2024.
 128 p.

ISBN 978-85-422-2496-2

1. Crônicas brasileiras I. Título

23-6524 CDD B869.8

Índice para catálogo sistemático:
1. Crônicas brasileiras

MISTO
Papel | Apoiando o manejo florestal responsável
FSC® C005648

Ao escolher este livro, você está apoiando o manejo responsável das florestas do mundo e outras fontes controladas

Acreditamos nos livros

Este livro foi composto em
Adobe Garamond Pro e impresso
pela Gráfica Santa Marta para
a Editora Planeta do Brasil
em fevereiro de 2025.

2025
Todos os direitos desta edição reservados à
Editora Planeta do Brasil Ltda.
Rua Bela Cintra, 986, 4º andar – Consolação
São Paulo – SP – 01415-002
www.planetadelivros.com.br
faleconosco@editoraplaneta.com.br

dedico este livro a você que, independente das decepções e das situações difíceis que enfrentou, entendeu que viver é recomeço, é se permitir novamente, é sentir medo e abraçar a coragem. dedico a você que continua com uma alma intensa e um coração aventureiro.

daqui a cem anos você não vai poder ouvir as músicas
que você ouve hoje, nem pisar na areia daquela praia
que você tanto ama, nem caminhar pelos caminhos
que sempre te levaram aonde você tinha que chegar.
daqui a cem anos as pessoas que você ama não vão mais
estar disponíveis pra que as ame, o seu livro preferido
não vai mais existir pra você, como também as suas
séries e filmes que te tocaram vão desaparecer.
daqui a cem anos os abraços que você deu vão partir com
o vento, da mesma forma que o amor que você ofereceu,
o tempo que você dedicou. depois que a gente nasce, só
existe uma única certeza na vida, que é se despedir dela.
então o que eu quero te dizer é que, se a gente for parar
pra pensar muito no final da nossa jornada, a gente não
consegue viver o processo. que por incrível que pareça,
por mais difíceis e complicadas que sejam algumas
fases, ainda é a parte mais inspiradora que você terá.
viva o hoje,
o agora,
o instante!
eu tenho certeza de que você já deve ter ouvido: "pior
do que morrer é não viver por medo de dar errado".
e provavelmente essa frase ainda segue sendo uma das

maiores verdades que você vai aprender sobre a vida.
este livro é sobre coragem! sobre viver intensamente,
sobre assumir os riscos, sobre entender que existem
consequências pra quem abre o peito, pra quem escancara
a alma, pra quem se joga no mundo, nas possibilidades,
mas isso tudo ainda é sobre viver. sobre se sentir vivo.
então coragem, meu bem! coragem!
porque o medo só afasta a gente da vida.
e o que é teu tá no mundo, na experiência de viver.
o personagem deste livro é um monstrinho, e você
pode escolher um nome pra ele, como quiser.
esse monstrinho representa a coragem, é pra te lembrar
que você precisa dela pra amar e pra recolher o seu
amor quando chegar a hora, pra ficar e pra partir, pra
encarar os desafios ou entender quando você não precisar
mais tentar, quando precisar apenas mudar de rota,
pra te encorajar a dizer e também pra se calar quando
for preciso, pra ter paciência de esperar pelo tempo
e não viver tropeçando nos seus próprios passos.
o monstrinho significa a coragem pra você enfrentar os
seus momentos de instabilidade, de solidão, pra dar as
mãos pra solitude e se acomodar nos seus próprios braços.
a gente precisa da coragem pra tanta coisa, né?
então não esquece de abraçar o seu monstrinho.
você vai precisar dele na sua jornada, tá?

SOBRE O MEDO DE PERDER.

antes de tudo. antes mesmo de começar a falar sobre viver, de fato. eu preciso falar sobre o medo. eu sei que essa palavra assusta, mas depois de tanto tempo escrevendo sobre autoconhecimento, afinal são seis livros escritos e quase dez anos de trabalho, eu preciso falar sobre algo que tem se tornado presente na minha vida no último ano, e que tem, como consequência, me afastado de mim, das coisas que amo fazer, de vivências que eu sempre me permiti ter, de possibilidades e, consequentemente, de viver da maneira que eu sempre me acostumei a viver: intensamente. enxergando a beleza dos acontecimentos, sentindo as reações que o meu corpo aflora quando me abro e escancaro meu universo.

durante um tempo até achava que pudesse ser uma fase, dessas em que a gente sente a necessidade de voltar pra dentro de si, e reorganizar nossas prioridades, e simplesmente não tentar, apenas descansar, se dar um tempo necessário, sentir aquela brisa interna que traz a sensação de sossego, de estar finalmente dentro de um lugar de acolhimento, um lugar seguro, e que vai evitar frustrações e machucados e decepções; afinal, todo mundo fala que o melhor lugar pra gente se curar é dentro da gente.

só que o problema é quando você se acostuma a ficar nesse lugar. e então você mergulha num limbo

de evitar tudo e qualquer possibilidade que possa te
decepcionar, e isso faz você não querer tentar, e não
tentando você claramente não se permite viver o que
talvez poderia te trazer uma experiência construtiva,
um acontecimento memorável que te ensinaria a
lidar com situações no futuro, ou sim, poderia ser só
mais uma marca, mas você iria aprender a lidar.

acontece que é aí que o medo entra e, sem que você
perceba, ele vai se alimentando dessas pequenas ações que
você escolheu evitar achando que estaria se protegendo
quando, na verdade, você só estava negligenciando
a sua capacidade de sentir, e desacreditando do seu
potencial de se curar se alguma coisa desse errado.
e, se a gente for parar pra pensar, os dias ruins e
frustrações sempre vão existir, afinal viver é criar
expectativas. a diferença é como você lida com isso.

no último ano eu tenho sentido o gosto do medo e posso
dizer que não é doce, muito menos degustável. foi numa
tarde de sábado, na beira do mar, enquanto eu olhava a
fúria das ondas e a calmaria da brisa que batia no meu
rosto, que eu enxerguei a beleza e percebi que a vida é
uma mistura doida de acontecimentos, bons e não tão
bons assim, que as relações que a gente constrói dependem
muito de quem a gente é e do que a gente tem pra oferecer
naquele momento, mas não dependem só da gente; que
estar vulnerável não significa ficar onde eu não caiba, que
eu posso impor os meus limites em vez de me conter e
me submeter a situações e relações que me quebram,
e perceber que não controlo o tempo não vivido e que
tudo o que eu tenho é o presente, então que eu esteja nele,
que eu me permita sentir, ainda que com medo mesmo.

aceitar que a vida é o que acontece entre os planos
me ajudou a assumir que jamais a perda de algo ou
de alguém deve anular a minha existência. às vezes
vai dar errado pra dar certo. às vezes vai dar certo
desde o começo. se eu tenho a escolha de segurar nas
minhas mãos e de ter a certeza de que estarei comigo
no final de tudo, por que então vou caminhar ao lado
de algo que me faz anular a minha existência, me
ausentando de mim, por achar que é o que mereço?

não, não é pra ser assim. eu mereço ser amado
e me amar. viver é estar vulnerável.
se tudo muda o tempo todo e tudo é transitório,
por que não viver algo que podemos perder?
afinal, nós vamos perder às vezes.

eu espero que este livro te faça perder o medo,
ou ao menos que te faça ter coragem o suficiente
pra provar a vida com medo mesmo.

NÃO É SOBRE O QUE FIZERAM COM VOCÊ, É SOBRE O QUE VOCÊ VAI FAZER COM VOCÊ DEPOIS DO QUE FIZERAM COM VOCÊ.

a minha mente explodiu quando eu entendi que tudo depende de como a gente reage ao que recebe.

se alguém te faz mal, se algo te magoou, se sua expectativa te frustrou, no final, é como você lida com tudo isso que vai refletir na sua vida e em seu caminho.

faz um tempo que tenho pensado nisso.

sobre como tudo o que fazem com a gente, sobre como os nossos machucados, as nossas marcas, as decepções, as traições que sofremos, tomam uma proporção ainda maior na nossa vida, quando não conseguimos lidar com o processo de aceitar a dor, de senti-la e, assim, permitir que ela cicatrize pra que não se transforme em algo negativo que cria raízes, e que dói, que machuca, que traz medo, que nos impede de seguir e viver novas possibilidades.

e eu não estou dizendo que tudo o que fazem com você é culpa sua. muito pelo contrário, tudo o que o outro te dá não é sobre você, é exclusivamente sobre o outro. se alguém é desleal contigo, se abusa dos seus sentimentos, se mente olhando nos teus olhos, não é sobre você. eu sempre digo que a gente só oferece aquilo que a gente tem pra dar.

então se você continua a oferecer afeto, a tentar outras vezes, a acreditar no amor, a se permitir viver, tudo isso é sobre o teu interior.

o que eu quero dizer é que, quando alguém fode o teu emocional, quando entra na tua vida e traz desequilíbrio em vez de acolhimento, independe de quem passe na sua vida, de quantas vezes você vai se iludir, de quantas formas te enganaram te prometendo amor e te surpreendendo com algo que te distanciou de você.

no final das contas, é sobre como você reage a isso, é sobre como você vai permitir que isso reflita na sua jornada.

se você vai usar suas marcas como aprendizado ou como um filtro pra estar atento a quem você permite que entre na sua vida, ou se você vai tirar a casca das suas feridas e vê-las sangrar, enquanto o tempo passa e você se perde de você, só porque alguém que não te merecia te perdeu.

não continue se machucando só porque alguém em quem você confiou te magoou. se traíram a tua confiança, não merecem a tua entrega. e isso não é sobre perda, é sobre livramento.

mesmo que tenham te machucado, ainda que tenham traído a sua confiança, ainda que tenham escutado você falar dos seus medos e dos seus traumas e usado eles contra você, mesmo que tenham te apresentado a ingratidão ou tenham sido desleais com você quando você só ofereceu o seu afeto e sua lealdade.

independentemente da profundidade do corte que te
causaram, você não precisa continuar abrindo esse corte
e vê-lo sangrar. você precisa se curar, e no processo
de cura faz parte sentir doer, incomoda mesmo.

o que eu quero te dizer é que, no meio do caminho,
haverá amor e, algumas vezes, infelizmente, você
vai esbarrar em mentiras, em relações tóxicas, em
pessoas que vão te machucar, inevitavelmente isso vai
acontecer, mas quando acontecer você não precisa
continuar cutucando o machucado ou tentando
entender por que fizeram isso com você.

você vai entender que se livrar também dói. mesmo que você
ache que: "se está doendo, é porque era pra ficar".
mas não, até aquilo que precisa ir a gente sente. uma gripe,
pra passar, a gente sente. uma dor de cabeça, pra passar,
a gente sente. uma saudade, pra passar, a gente sente.

então, por favor, siga mesmo machucado. você vai se curar.
você não merece continuar se machucando
porque alguém te machucou.

este livro também é pra lembrar
de desejar coisas boas pra você.

por isso…

HOJE EU QUERO DESEJAR COISAS BOAS PRA MIM, PORQUE ÀS VEZES EU ME ESQUEÇO DISSO.

quero desejar que eu realmente saiba reconhecer o que faz bem e o que não faz mais tão bem assim. que eu reconheça também quando eu precisar do meu espaço pra tomar um tempo e reorganizar as minhas ideias e os meus sentimentos. pra que eu não tropece em mim, pra que eu não me veja insistindo em lugares e relações que não me cabem. e que eu entenda que às vezes a gente só precisa desacelerar.

que eu não tenho o controle de tudo, e nem tudo depende só de mim. que eu saiba compreender que o tempo pode ser generoso comigo, e que eu só preciso abraçar e viver o meu processo. é isso que vai me fazer enxergar as minhas falhas e as minhas inseguranças e me transformar em algo mais potente e vivo.

mesmo que eu faça birra, desejo que eu saiba que o que quero não é exatamente o que mereço. e às vezes não terei o que quero, porque mereço algo melhor.

que eu possa me estender as mãos quando me vier ao chão, em vez de me culpar e piorar a minha situação.

desejo que eu esteja sempre aberto pra me desculpar,
como sempre estou disposto a desculpar os outros.
eu desejo que eu tenha sempre fôlego pra persistir em me
curar, que eu tenha sempre amor pra me receber de volta,
que eu esteja sempre disposto a me abraçar de novo.

que, independentemente das minhas escolhas erradas,
da minha mania de ignorar a minha intuição, da
minha teimosia em tentar fazer dar certo quando só
eu estou segurando a corda, que eu lembre da hora
em que preciso partir. que eu entenda também que
partir não é sobre perder alguém. às vezes a gente parte
justamente pra não se perder ou pra ganhar muito
mais porque permanecer se tornou uma perda.

desejo o melhor pra mim. que eu possa fazer conexões
leves e leais. que eu consiga construir relações sinceras
e que saiba também reconhecer quando uma linha
relacional precisa ser solta porque se tornou pesada.

que eu tenha coragem de abrir mão, e que mesmo assim
sinta o que tiver pra sentir: a dor de me desprender de
algo, o frio que a saudade traz, o conflito entre sentir
falta e não querer de volta. que eu possa me permitir
sentir tudo pra saber me acolher diante disso.

VOCÊ PENSA DEMAIS. DESCANSA, CARAMBA!

foi isso que eu falei pra mim esses dias:
"você pensa demais. descansa, carai!".

eu não sei exatamente por quais desafios você tem passado,
mas eu queria te dizer que às vezes a
gente só precisa se dar um tempo,
tomar distância, se recolher, sabe?

chega uma hora que a gente cansa, a mente implora
por uma trégua e o peito pede pra gente desacelerar.
autocuidado é reconhecer o seu próprio limite, é entender
a hora de parar, de dizer pra si mesmo: "eu vou ficar com
você agora, vai ficar tudo bem, depois a gente continua".
porque existem partes da nossa jornada em que a gente
precisa aproveitar o processo, existem trechos do nosso
caminho que exigem que a gente desacelere um pouco
pra não tropeçarmos em nossos próprios passos.

talvez o teu corpo venha dando sinais de
que você precisa ir com calma agora,
talvez a etapa a que você chegou neste momento
precise que você maneire nas curvas.
talvez a fase da sua vida agora esteja te
dizendo pra respeitar o seu tempo:
calma, vai passar! relaxa, vai dar tudo certo.

eu sei que às vezes a gente pensa mil e uma coisas,
que a ansiedade faz a gente pensar em
inúmeras possibilidades de dar errado,
e com isso a gente vai pensando em novas
possibilidades, eu sei que às vezes
a gente quer que as coisas se resolvam
pra ontem, mas relaxa, caramba!

sério!

olha tudo o que você já fez até aqui.
olha todo o trajeto que você percorreu.
olha o quanto de desafios você superou.
olha o tanto de força que a vida
te exigiu pra que você se guiasse e chegasse até aqui!

talvez seja a sua hora de descansar e ir com mais calma,
de entender que talvez amanhã não se cumpra o que
você queria hoje, mas semana que vem, quem sabe?

todo mundo passa por um pedaço da história
em que o tempo precisa de tempo.
então, relaxa, agora você só precisa ir.

(com alma, com calma.)

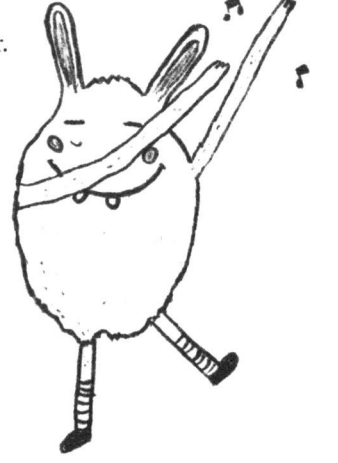

A PARTE FODA DE SE DESCOBRIR AUTOSSUFICIENTE É QUE A GENTE APRENDE A DEIXAR IR. E DESAPRENDE DE TENTAR.

tem uma parte de ser autossuficiente que ninguém conta. que é quando você se vê ótimo só, quando você se enxerga completo e inteiro sozinho, e daí você começa a achar esse lugar tão confortável que você perde um pouco a paciência de colocar pessoas dentro dele.

você se torna mais chato e exigente. quanto mais você se relaciona, mais parece ter a certeza de que é bem melhor ficar sozinho. quanto mais você paga pra ver no que vai dar, menos você guarda crédito pra acreditar nas próximas tentativas. quanto mais você tenta, por acreditar, por ter coragem, por querer viver, mais você acredita que precisa voltar pra si mesmo.

você aprende a soltar, a abrir mão, a fechar os ciclos, e é claro que isso dói às vezes. claro que você sente. é óbvio que você se machuca e se mostra vulnerável, e se apaixona outras vezes, e se decepciona também, mas é que cada vez mais que você vai, mais você gosta da sensação de ser a sua própria casa. e às vezes você fecha pra visitas.

ninguém te conta sobre quando você se vê sozinho e isso não te incomoda (não que deveria incomodar), mas você se vê sozinho e acredita fielmente que é melhor assim, passa a não enxergar as possíveis relações que poderiam acontecer, mas que você deixou pelo caminho pela falta de paciência em ser um pouco mais maleável.

porque você já conhece a dor de partir. reconhece os processos pelos quais vai passar. e sabe que se encontra no meio do caminho. e sabe que fica bem.

a verdade é que ninguém te conta sobre a linha tênue entre ser um pouco mais flexível e achar que está sendo trouxa mais uma vez por isso. e então, claro, você parte.

ninguém te conta sobre como é difícil enxergar quando alguém merece uma chance, porque um dia você aceitou demais, se submeteu demais, perdoou demais, sabe? e eu te entendo.

a gente aprende a deixar ir.
e desaprende de tentar.

você só pensa agora que o melhor mesmo é seguir sozinho. é cuidar de você em primeiro lugar. é zelar pelo equilíbrio emocional. e você está certo. só que ninguém conta sobre o momento em que você vai se perguntar: será que eu me tornei maduro o suficiente ou exigente demais?

(ou os dois?)

maturidade pra entender que existem momentos
em que a gente não precisa reagir, o melhor é ficar na sua
e seguir o seu caminho pra evitar desgaste emocional,
é tratar com irrelevância o que tem a intenção de te
machucar, é saber a hora de tirar o cropped e não reagir.

não reagir às vezes é o melhor caminho.

A GENTE NÃO VAI CONSEGUIR ENXERGAR O NOSSO VALOR EM LUGARES QUE NÃO CONSEGUEM VALORIZAR A NOSSA PRESENÇA.

que as nossas memórias afetivas não nos enganem
e nem nos façam esquecer do quão mal
nos sentimos em certos lugares.

você não precisa ter rancor de ninguém,
mas saiba que a sua memória
é boa e que o seu amor é importante,
use-os sempre que necessário
pra saber que o que te causaram só causam uma vez.

não permita acumular pessoas e relações
que já tiveram o tempo na sua vida,
entenda que pra que as coisas possam
fluir a gente tem que aceitar
que o tempo precisa levar o que não
mais flui pra abrir espaços
pro que precisa acontecer.

perdoe quem te machucou quando for preciso.
mas saiba que o mais importante é se perdoar.
se perdoar por ter aberto espaço pra que
certas situações acontecessem,
por ter se submetido ao mínimo, por ter
doado o seu tão precioso tempo
esperando que o outro te tratasse com
a mesma relevância com que
você costuma tratar as pessoas de quem você gosta.
se perdoe e se desfaça da culpa do que não deu certo.

você ensina as pessoas como elas devem te tratar pelo
que você permite que elas façam repetidamente com você.
é sobre nunca esquecer do que você merece, e lembrar
sempre de que você merece muito, porque você é muito!

e se no meio do processo você sentir tédio,
não volte ao que te feriu só porque você está
impaciente demais pra esperar algo melhor.

fazer escolhas requer que a gente se desfaça
de laços e rompa ciclos. algumas pessoas vão
continuar no nosso caminho, mas não na nossa
mesa. saiba ouvir quando o seu coração te disser
"*não tem mais nada pra gente aqui*", e parta!

a viagem para o autoconhecimento é longa,
mas é a única jornada em que o tempo não é perdido,
mas sim investido. não espere por desculpas, senão
você vai perder o seu voo em busca de algo que, às
vezes, não vai acontecer porque é em você que doeu.
não vai ser tão importante pro outro como foi pra você.

se dê as mãos e vá. nesse voo de altos e baixos você vai enxergar que a cura não acontece no lugar que te feriu, ela vem de você. você tem essa capacidade de se cuidar e se curar, acredite!

e, por fim, "que os fins nos recomecem".

existem partes do processo em que a gente vai ter a sensação
de que voltamos pro começo porque
parece que certos machucados
doem como se tivessem acontecido ontem.

mas quero te dizer que se curar não é linear.
vão existir dias difíceis depois de dias leves.
e isso também é sobre progresso.

ÀS VEZES A GENTE ESQUECE DA GENTE, NÉ?

a gente esquece o que a gente já passou, do que a gente já teve que se curar, e daí a gente abre um espaço pra ser feito de trouxa. aí a gente vê novas pessoas fazendo com a gente aquilo que as velhas fizeram no passado, só porque a gente resolveu jogar a caixinha de lembretes de cuidado fora.

é por isso que eu sempre falo: não se esqueça das vezes que você se fodeu.

se possível, guarde essa caixinha de lembretes de cuidado e carregue com você pro resto da sua vida. ela vai te ajudar a decifrar situações a que você não precisa mais se submeter. essa caixinha vai ser útil pra que você entenda o momento de partir, simplesmente porque você aprendeu a não aceitar mais que arranquem as cascas das suas feridas ou voltem a rasgar a sua pele no lugar em que já te rasgaram antes.

não é sobre rancor, é sobre reconhecer o quanto de força e resiliência suas decepções exigiram de você, é sobre saber o valor das suas lutas, sobre enxergar os espaços em que te colocaram e que você se submeteu a aceitar, sobre perceber que te arrancaram pedaços e de quanto esforço e tempo você precisou pra se curar.

é sobre valorizar cada processo que você
passou pra estar aqui, vivo.
sobre cada dia em que você sentiu o seu peito apertar
e achou que não conseguiria passar daquela fase,
sobre as noites maldormidas, sobre os traumas
e inseguranças que você precisou superar.

essa caixinha vai ser como um filtro.

vai te ajudar a alinhar as suas prioridades,
a relembrar do seu valor quando você cogitar esquecer,
vai te lembrar de que você precisa colocar os seus limites
e jamais permitir que invadam os seus
espaços sem a sua autorização.

não é sobre guardar péssimas lembranças, é sobre lembrar de todas as vezes que você tomou no seu c*, pra que não cometa o mesmo erro novamente, ou pra que ao menos enxergue quando estiver prestes a cometer e se retire dali.

talvez nos seus dias mais difíceis
você até conte com alguns amigos,

talvez receba conselhos das pessoas que te amam,
mas no final das contas, dentro de você,
é de você que você mais necessita
e você precisa ser generoso consigo.

no final, é você e você.

se eu puder te dar um conselho, seria: sinta!
sinta o que precisar ser sentido. sinta até a dor se esgotar.
se permita sentir, você não merece prolongar uma agonia
só porque você prefere fingir que não sente.

sinta até que passe de vez.
sinta até que sare de vez.
se permita sentir porque é isso que vai te curar.

COMO VOCÊ COSTUMA ENCERRAR OS SEUS CICLOS DIZ MUITO SOBRE QUEM VOCÊ É.

como você costuma encerrar os seus ciclos?

por mensagens? através de uma ligação? ou pessoalmente? você sente que precisa dizer o que sente uma última vez antes de partir? você sente a necessidade de falar pro outro quem o outro foi pra você, pra que os dois sigam o caminho mais leve possível?

como você encerra os seus ciclos diz muito sobre você.

por exemplo, talvez você não tenha coragem o suficiente pra terminar algo pessoalmente, e então prefira terminar por mensagens ou ligação. mas já parou pra pensar se essa atitude é respeitosa com você, com o outro e com toda a entrega e energia que vocês dedicaram àquela relação? já se perguntou isso?

você costuma se distanciar aos poucos, ficar em silêncio, e deixar que o outro perceba entre os seus sinais de desinteresse que você está saindo fora, ou costuma sinalizar, expor o que sente e só então se despedir?

a maneira como você reage ao fechar os seus
ciclos diz muito sobre quem você é!

eu sempre sinto a necessidade de dizer ao outro
quem ele foi pra mim, porque acho que assim eu
sigo o meu caminho mais leve e o outro também.
quando alguém foi incrível pra mim, eu preciso dizer.
quando alguém me fez bem, eu preciso falar. quando
alguém me fodeu, eu também preciso expor o que doeu.

eu faço isso porque sempre que encerro um
ciclo faço uma autoanálise que vem junto com
uma autocrítica pra que eu siga o meu caminho
tentando ser melhor pra mim e para os outros.

e você? você costuma mesmo ter coragem pra encerrar os
seus ciclos ou é covarde o suficiente pra sumir – como o
mestre dos magos – e acumular ciclos nunca encerrados?

isso diz muito sobre quem você é.

NO FINAL DAS CONTAS, NÃO É APENAS SOBRE O QUANTO EU QUERO, MAS SIM SOBRE O QUANTO O OUTRO ESTÁ DISPOSTO A QUERER TAMBÉM.

às vezes eu sinto muito, quero muito, mas antes de me jogar eu preciso, no mínimo, sentir segurança e reciprocidade o suficiente pra acreditar que o outro estará lá embaixo pra acolher o meu mergulho.

eu sou uma pessoa que precisa de um tempo pra se entregar. porque quero me sentir mais seguro, sentir que o lugar em que estou entrando vai me acolher, que o afeto que o outro está aberto a me oferecer é real e sincero. às vezes leva um tempo até eu me entregar totalmente, e nem sempre o outro está disposto a esperar esse tempo.

sabe aquele papo de "diz logo o que sente, se abre logo, você não tem nada a perder"? na verdade, não funciona pra mim, porque por muito tempo e por muitas vezes eu me entreguei sem cuidado algum e tive que lidar sozinho com meus traumas, terapia, e novas inseguranças.

não tô dizendo que a gente não precisa dizer o
que sente! muito pelo contrário, a gente precisa
sempre dizer o que sente. se quer, diz! se está
gostando, fala! se sente muito, demonstre!

eu acredito nisso. mas, pra mim, eu preciso passar
por um processo de segurança interna, sabe?

não é exatamente sobre medo. bom, talvez tenha um
pouco sim. mas é muito mais sobre me sentir seguro.
isso evita que eu me machuque? não! mas ao menos eu
me sinto mais tranquilo ao fazer a minha escolha.

no final das contas, não é apenas sobre o
quanto eu quero, mas sim sobre o quanto o
outro está disposto a querer também.

eu já perdi alguém que parecia querer muito, e então
quando eu me permiti passar por todo o meu processo e
finalmente senti o gosto de querer ficar também, o outro
já não estava querendo tanto assim. e a única coisa a se
fazer foi me retirar mesmo querendo ficar, porque eu
entendi que passar pelo meu processo é também respeitar
o meu próprio tempo, e mais do que isso, é reconhecer
o valor da minha estabilidade emocional, e entender que
o tempo que eu dedico aos meus ciclos e principalmente
a mim é relevante! e por isso eu não tenho tempo pra
investir em lugares que me façam perder tempo.

eu penso assim: tá tudo bem eu e eu. a minha vida
tá fluindo. com altos e baixos, mas está fluindo.
eu tenho meus ciclos. tenho meus amigos. eu amo
pessoas e tenho pessoas que me amam também,

então, se for pra incluir mais uma pessoa na
minha vida, que seja pra ser assim: recíproco.

o ponto difícil nisso tudo é que nem todo mundo está
disposto a esperar ou a entender o meu processo. tem
gente que tem pressa. e por isso vão embora antes mesmo
que eu fique. ou vão embora assim que eu decido ficar.

no final, fico comigo mesmo.
sempre foi assim.
é assim que é.

tá tudo bem.

pior do que terminar um ciclo é acabar um ciclo que foi incrível, e ter que se despedir de alguém que te fez bem, e ter que terminar algo que você queria muito, mas que acabou porque precisou acabar.

fica uma sensação de que poderia ter sido mais, sabe?

acho que fechar ciclos que não te fazem bem é menos doloroso porque você sabe que não te faziam bem e que você vai ficar melhor sem eles. mas e quando você fecha ciclos que te fazem bem? dói pra caralho, porque você segue e fica a sensação de que tinha potencial pra ser algo maior.

ser adulto é ter que entender que algumas relações acabam simplesmente porque precisam acabar. a gente vê algumas relações se esvaindo pelos nossos dedos e a gente não pode apertar porque dói. a gente vê gente indo embora por pouca coisa, por uma comunicação falha, por um diálogo não concluído, por orgulho, ou distância. e a gente deixa ir, porque apertar pra ficar dói.

cheguei aos meus 30 anos e acho engraçado o quanto, aos 20, eu ainda achava que os ciclos que me faziam bem não deveriam acabar, e isso me fazia ter dificuldade em aceitar quando eles precisavam acabar. e então eu apertava, eu segurava firme, eu dizia "vai dar certo", sem reconhecer que o "dar certo" talvez fosse até aquele momento, e que pra dar certo não necessariamente precisa não ter fim.

aos 30 eu guardo comigo o afeto que tive por uma pessoa que não está mais comigo. eu soube reconhecer que, apesar de soltarmos as nossas mãos, o cuidado, o respeito, os sorrisos e os momentos bons ficaram com a gente. a gente não precisou apertar.

só que isso dói também. pra caralho.
dói muito ter que fechar um ciclo que foi bom porque você fica sem respostas que justifiquem por que acabou.

fica uma brechinha de admiração, de afeto, de vontade, de curiosidade e principalmente de incerteza por achar que poderia ser muito mais. e a vida te ensina que essa sensação é momentânea, como tudo na vida, quando você menos espera novos ciclos começam e acabam, e ficam apenas momentos e ensinamentos.

SOBRE ESCOLHAS:

às vezes você precisa escolher entre ficar e doer ou partir pra se curar. escolher se despedir de ciclos de que você gosta muito pra assumir o ciclo que é gostar de você primeiramente. escolher abrir mão do amor de alguém e segurar sua mão pra não perder o amor por você mesmo.

escolher entre sentir a falta do que você não tem mais ou se abrir pra sentir o que você ainda pode ter.
entre dar o amor que você tem ou se recolher porque nem sempre a pessoa que você quer merece o que você tem.

e eu só posso te dizer que durante a tua jornada você vai se deparar com o medo e a insegurança que essas escolhas trazem. e que muitas vezes você não vai saber o que fazer, por mais que sinta o que precisa ser feito. vai te faltar coragem, vão te sobrar dúvidas.

porque a escolha dá medo.
porque a gente nunca sabe o que vai acontecer
e como a gente vai se sentir depois que
a gente escolhe seguir sozinho.
a única coisa que a gente sabe é que pode ser
difícil e que talvez machuque um pouquinho.

a escolha é incerteza e por isso dá medo.

só que o que você precisa lembrar é que você já precisou escalar muros mais altos, se desvencilhar de arames farpados, se reconstruir depois de ter

desabado, e tudo isso você conseguiu por ter
coragem de encontrar a força nas suas escolhas.

você é forte.
e precisa escolher ser.

estava aqui pensando:

na maioria das vezes que me frustrei foi porque esperei que os outros agissem com sinceridade, com transparência, com mais respeito pelos meus sentimentos.

mas a verdade é que eu não preciso exigir isso de ninguém. as pessoas só dão o que têm.

SOBRE DESPEDIDAS: DESPEDIDAS NÃO SÃO CONFORTÁVEIS. MAS ÀS VEZES NEM A PERMANÊNCIA É.

já me despedi diversas vezes, de várias maneiras; já tive reações diferentes. já senti o desconforto de olhar no olho de quem eu amava e queria que continuasse na minha vida por mais tempo, mas chegou a hora de usar o amor com inteligência e ser leal ao que eu acreditava que era afeto, e então eu precisei dizer: eu preciso ir.

a gente sente quando a hora da despedida chega, porque ela não chega de uma hora pra outra, ela chega em gestos, em leitura do outro, em falta de diálogo, de atenção e de cuidado. a gente sente. e às vezes a gente prefere deixar pra semana que vem, ou talvez pro mês que vem, ou talvez até o momento em que a gente se sinta confortável e exausto o suficiente pra partir.

mas acontece que a despedida não é confortável. por mais que seja uma despedida leve, com sorrisos, abraços e palavras de agradecimento.

é desconfortável.

imagina quando a despedida vem em forma de silêncio.
não tem palavras. não tem mensagens. só o silêncio.
se tem uma coisa cruel que eu preciso te dizer é
que, na vida adulta, você vai ter que aceitar no cru
que algumas relações terminam em silêncio. por
mais que você fique indignado, por mais que você
não concorde, ou ache imaturo, ou irresponsável
demais. a verdade é que isso vai acontecer. mais vezes
do que você estaria preparado pra presenciar.

e não há o que fazer a não ser aceitar que o silêncio
também é uma resposta. dura, áspera, mas é uma resposta.

eu já me despedi de quem eu queria muito, já me
despedi de quem me queria muito e mesmo assim eu
não consegui querer tanto também, já se despediram
de mim no momento em que eu me entreguei, já
me fizeram acreditar que iriam ficar e, quando eu
fiquei, foram embora. o que eu quero te dizer é que,
independentemente do amor que você sinta, do quanto
você queira ficar ou do quanto queiram que você
permaneça, às vezes as despedidas precisam acontecer.

precisam acontecer pra que você não se perca de você.
pra que você continue seguindo o seu propósito.
pra que você não abra mão de quem você é.

despedidas não são confortáveis.
mas às vezes nem a permanência é.

A GENTE SE DESPEDE DE PESSOAS. DO QUE SENTIMOS, NÃO.

sentimentos a gente ressignifica.

depois de muito tempo relutando, achando que a gente se despede do que a gente sente, eu entendi que não, a gente se despede de pessoas. mas do que marca a gente, daquilo que a gente sente lá dentro da gente de forma exponencial e potente, que fez a gente por um momento crescer dentro do nosso próprio corpo e se sentir vivo, não tem como se despedir disso.

não tem como se despedir do que a gente sente porque é isso que transforma a gente. é o que a gente sente na pele que serve como impulso pra gente ter coragem pra assumir as nossas cicatrizes e continuar.

sentimentos a gente ressignifica.

você lembra do dia em que você depositou em alguém toda a sua confiança e a sua entrega e aquela pessoa te machucou da pior maneira?

você lembra o que sentiu no momento
em que a decepção veio?

você lembra de toda aquela mistura de sentimentos
que você enfrentou no seu processo de cura? ou o que
sentiu ao precisar deixar ir alguém mesmo querendo
tanto que esse alguém ficasse? então, você se despediu de
alguém, mas tudo o que você sentiu foi ressignificado.

a gente se despede de pessoas.

mas o que a gente sente vira memória, costume,
ou simplesmente alguma coisa que a gente
aprende a encontrar um novo significado.

SE ABRA PRA POSSIBILIDADE DE SE DECEPCIONAR.

ouvi dizer por aí que, enquanto a gente não se
abrir pra possibilidade de se decepcionar,
a gente não vai conseguir viver. a gente nunca
vai conseguir pisar de fato em uma relação.

e isso foi como um tiro no meu peito.
porque é a mais pura verdade.

isso me fez lembrar, quantas vezes eu me tranquei dentro
de mim mesmo por medo de me decepcionar mais
uma vez? quantas vezes eu escolhi recuar por medo do
que o outro pudesse fazer com os meus sentimentos?

eu perdi as contas de quantas vezes eu me entrelacei entre
o que eu sentia e o que eu não dizia, por medo de falar
demais e acabar me machucando. e mesmo assim eu senti
a dorzinha de perder algo bom por ter escolhido me calar.
a diferença é que eu escolhi qual dorzinha sentir. a de uma
possível decepção ou a dor da falta de viver o que eu queria.

e nem preciso falar das vezes em que exigi demais
dos outros, quando eu poderia ser mais flexível.
não flexível a ponto de aceitar que me machucassem.
mas flexível a ponto de aceitar que o outro iria me
decepcionar em algum momento. a diferença é como

o outro vai reagir depois disso, como o outro vai se
importar com o impacto que me causou, e o mais
importante, como eu vou ficar. vou ficar bem?

enquanto você não se abrir pra possibilidade
de se decepcionar, você não vai viver.

porque se relacionar é um risco,
ser vulnerável tem lá suas consequências,
e você só sabe disso vivendo.

uma frase que me nocauteou:
"*o único motivo por que eu ainda acredito
no amor é pelo jeito que eu amo*".

porque é foda demais você sentir que
mesmo muito marcado,
mesmo com medos e gatilhos que
relações ruins te trouxeram,
você carrega dentro de si o melhor do amor.

responsabilidade afetiva é diferente de
corresponder a expectativas.

ter responsabilidade afetiva é ser sincero com o
que sente, é comunicar, é usar o diálogo, é ser
transparente e agir com a verdade. e isso nada
tem a ver com corresponder a expectativas.

é extremamente importante que a gente saiba reconhecer
o limite entre nossas expectativas e a responsabilidade
afetiva que queremos nas relações que construímos,
pra que a gente entenda que o que a gente sente, como a
gente sente, a maneira como a gente demonstra, ou como
comunicamos não será exatamente a maneira como o outro
vai agir, falar ou demonstrar.

entender que você merece sim o melhor das relações e
das pessoas, mas também compreender que os outros
e as relações que você constrói jamais vão ser o que
você projeta. entender esse limite vai te ajudar a evitar
frustrações desnecessárias e, consequentemente, vai tornar
suas relações mais leves e compreensivas.

e o ponto mais importante: compreender que o que
você quer receber não é exatamente o que você vai
receber (se isso não depender somente de você),
e a partir disso aceitar quais relações você deve
manter na sua vida e quais você não merece.

EU PREFIRO GENTE EMOCIONADA.

todo mundo diz "seja emocionado", mas o que ninguém te conta é que quando você demonstra interesse, quando diz o que sente, quando mostra que gosta e demonstra que quer, você é descartado simplesmente por ser "emocionado demais".

a grande verdade é que tem sido cada vez mais desastroso dar o mínimo num mundo de relações cada vez mais superficiais e traumáticas.

se a gente for parar pra pensar, dizer o que sente é o mínimo. demonstrar que gosta é o mínimo. ser carinhoso, dar afeto, ser cuidadoso e atencioso com quem está entrando na tua vida é básico.

e parando pra pensar, é exatamente por ser assim que as pessoas concluem que você é "emocionado demais".

a gente tá acostumado a receber muito pouco, e quando a gente recebe o mínimo, parece exagero. mas não é, é só o mínimo.

todo mundo deveria agir com sinceridade. se você abre a sua vida pra alguém, essa pessoa deveria ter, no mínimo, cuidado e carinho por aquilo que você mostra. se você permite que alguém entre na sua rotina, essa pessoa precisa, no mínimo, ser atenciosa com você.

deixa eu te fazer uma pergunta: quantas pessoas
você já conheceu e preferiu deixar passar só porque
você achou "emocionadas demais", simplesmente
porque elas se importavam com você?

alguém que se importa com você é o
mínimo que você merece.

eu já acreditei que a minha maneira de conversar,
de falar sobre música, sobre filmes, sobre memes,
viagens, política, sobre sonhos, sobre o mundo, e ser
cuidadoso ao estar com a pessoa, e ter respeito pelo que
ela mostra pra mim, e dar carinho quando sentir que
devo, eu já achei que tudo isso fosse algo exagerado
e emocionado demais, até receber e perceber que
isso é o mínimo que a gente merece nas relações.

se não for pra ser leve e sentir que a minha
presença importa naquele instante, naquele espaço,
pra aquela pessoa, eu nem saio de casa.

e por fim, mesmo que seja óbvio te dizer isso: fique
em lugares em que você possa ser você sem medo.
seja emocionado onde existir reciprocidade. dê o seu afeto
onde enxergar respeito. se não houver, não se demore.

e, sinceramente, eu prefiro gente emocionada. gente
que mesmo com medo se permite viver, porque
reconhece que não é sobre o que já deu errado, é sobre
o que pode dar certo. gente que se empolga, que faz
você se sentir amado, desejado e querido. gente que
lembra de você em qualquer coisa mínima que seja:
ao comer uma comida gostosa, ao ver algo de que você
gosta, ao te mandar um vídeo, sei lá, gente que não
tem receio de mostrar que lembra de você, sabe?

eu prefiro gente que mostra o que tem pra
oferecer, que inspira, que transborda.
gente sem tempo pra joguinhos, que diz o que sente,
que sente a ponto de fazer você querer
sentir junto também, entende?

gente com coragem encoraja a gente.
gente emocionada faz a gente lembrar
que a gente merece sentir,
que a gente é importante sim.

eu prefiro gente emocionada, porque
quando eu esqueço do afeto,
me faz lembrar que ele existe e que
pode ser leve e espontâneo,
sem manipulação, sem medo.

eu prefiro, porque quando eu penso em me esconder
por conta das pessoas erradas que passaram pelo
meu caminho, ou por conta das decepções, gente
emocionada me traz de volta a empolgação.

eu prefiro gente assim, que nem eu.

DE: MEU EU DO PASSADO.

PARA: MEU EU DO PRESENTE.

primeiramente, eu queria te agradecer por não ter desistido de mim, mesmo nos momentos em que me sabotei e duvidei da minha capacidade, mesmo em todas as vezes que eu cometi o erro de achar que eu não merecia o melhor e então você me lembrou que sim, que eu não só merecia o melhor por ser quem sou, por agir com sinceridade e lealdade, mas por dar afeto e respeito mesmo sendo muitas vezes considerado demais.

eu quero te agradecer também por não ter se livrado da sua capacidade de sentir e viver o que precisa ser vivido naquele momento, e isso não é sobre os instantes de felicidade, mas também sobre aqueles momentos de dúvida, aqueles dias de fraqueza, aquelas noites tempestivas. eu te agradeço por não abrir mão de sentir, de acreditar que, por mais difícil que o processo seja, a gente precisa vivê-lo. não dá pra fugir, nem dá pra fingir que não dói, porque isso não nos livra da dor. fingir só faz a gente ignorar a nossa capacidade de se transformar e superar.

e eu quero te agradecer por todas as vezes que, mesmo dizendo pra mim "eu não aguento mais", provamos pra nós o quão potentes somos, e o quanto somos capazes de renascer e recomeçar outras vezes.

quero te agradecer por não ter desistido enquanto eu
(a sua versão mais antiga) estava passando por processos
de autoconhecimento e, mesmo cansado e achando
que estava atrasado em meu processo de cura, você me
ensinou a respeitar o meu tempo e a acreditar que nada
fica no lugar, nem mesmo nossos medos e inseguranças.

e, por fim, eu (a sua versão mais antiga) preciso dizer
que adoro muito você. mesmo passando por tudo que
passou, aguentando o tanto que aguentou, caindo
e quebrando a cara mais vezes do que achou que
suportaria, você se manteve de pé. mesmo desabando em
choro no silêncio do seu quarto, mesmo não contando
pra ninguém sobre algumas de suas quedas (só pra
Deus), eu admiro a sua capacidade foda de, mesmo
surrado, ter encontrado uma versão melhor de mim.

DOEU MUITO ME TRANSFORMAR EM QUEM EU SOU AGORA. NÃO DÁ PRA ACEITAR QUALQUER UM DE NOVO.

um dos motivos que me fazem ser exigente e não tolerar qualquer coisa, nem aceitar nada que me deixa desconfortável, é tudo que eu tive que superar, suportar e transformar pra ser quem eu sou agora.

definitivamente, não dá pra insistir em relações que só me consomem por medo de ficar sozinho. eu já perdi esse medo. e prefiro, sem pensar duas vezes, ficar sozinho a me sentir sozinho estando com alguém.

não dá pra aceitar alguém que ativa os meus gatilhos, que faz eu me sentir inseguro, que traz dúvidas e medo. porque eu já senti isso antes, já me prometeram amor como se só amor bastasse pra ser o motivo de me fazer ficar em algum lugar. depois que eu aprendi que o amor que eu sinto por mim deve vir antes de qualquer amor que eu venha a sentir por outra pessoa, eu percebi que o amor não pode ser o motivo que me faça permanecer em algo. precisa de mais. muito mais. só amor não basta. e promessas, menos ainda.

não dá pra aceitar as mesmas relações que eu vivi,
com as mesmas atitudes, os mesmos comportamentos.
eu quero e mereço algo que me faça sentir que sou
importante, porque sou. que mereço receber afeto
sem duvidar disso, porque mereço. que devo aceitar
só aquilo que me deixa confortável, por mais que eu
saiba que vou me sentir desconfortável em algum
momento. porque não existe relação perfeita. e eu
tô longe de querer algo perfeito, porque não sou.

mas sei reconhecer o mínimo que mereço. e quando você
reconhece isso, você não consegue aceitar qualquer coisa.

já me machuquei de diversas maneiras. já me traíram.
já mentiram pra mim olhando nos meus olhos.
já conseguiram me manipular. já fui dependente emocional.
mas quando você se transforma diante das suas quedas
e dos traumas que te deixaram, você volta forte, potente
e vivo. depois disso, não dá pra aceitar qualquer coisa.

DAR PEQUENOS PASSOS TAMBÉM É PROGRESSO.

às vezes a gente quer tanto que as coisas aconteçam pra ontem que nem percebemos o quanto já aconteceu. pequenos passos também é sobre progresso.

a vida não é feita somente de passos largos. alguns processos são mais densos e lentos que outros, algumas fases exigem mais paciência e tempo.

então vê se relaxa um pouco, caramba!

eu sei que às vezes fica meio complicado a gente conseguir aproveitar o processo. existem cansaço, tentativas, tropeços. mas ficar se autossabotando, desacreditando do seu potencial e alimentando o medo de que talvez você não chegue aonde gostaria de chegar não vai te levar a lugar algum.

então vê se relaxa um pouquinho, caramba!

você sabe que precisa respeitar o seu próprio tempo e que as coisas vão acontecer sim. pra isso você só não deve desistir.

e ok, eu sei que algumas fases da sua jornada pareciam mais fluidas, leves, e que as coisas aconteciam com mais tranquilidade. mas eu preciso te dizer que existem partes da nossa jornada que a gente vai sentir mais, a gente vai sangrar mais, a gente vai chorar mais. algumas vezes, a gente vai achar que vai enlouquecer mais (rsrs).

mas são apenas fases.
então vê se acalma esse coração, caramba!

às vezes a gente quer tanto que as coisas aconteçam pra ontem que nem percebemos o quanto já aconteceu.
não comete esse erro com você não.

não seja tão duro contigo.
os seus pequenos passos também são sobre progresso.

pedi desculpas quando não era minha culpa.
relevei situações pra não magoar o outro e me magoei.
ignorei comportamentos porque
acreditei no melhor do outro.
considerei mesmo quando não me consideraram.

então não me chame de egoísta só porque finalmente
decidi me colocar em primeiro lugar.

EU QUERO TE FALAR ALGUMAS COISAS SOBRE A SUA JORNADA.

pode não ter sido como você esperava, mas se você chegou até aqui, você merece se orgulhar de você!

tenha orgulho de quem você foi, mesmo diante das dificuldades, você permaneceu ao seu lado. você entendeu a importância de não desistir de você.

ainda que as situações tenham feito você duvidar da sua capacidade, ainda que as quedas seguidas tenham feito você pensar que não merecia o melhor, ainda que algumas relações que você tem escolhido tenham feito você alimentar as suas inseguranças, no final de tudo, não é sobre as escolhas erradas que você fez, nem sobre os lugares em que você investiu o seu tempo e o seu afeto quando não deveria, nem sobre as vezes em que desaprendeu a colocar os seus limites e a dizer "não!", "chega", "não mereço isso".

não é sobre suas tentativas que não deram certo exatamente, é sobre o momento em que você se reconectou com você, como aqueles momentos em que você se enxergou e se trouxe de volta pros seus braços, é sobre os dias em que, mesmo com a pouca energia, você sabia que aquilo era o que precisava pra continuar, e que as coisas iriam se transformar.

você precisa se orgulhar de você por saber respeitar o seu tempo, e entender que se curar é um processo. e que nesse processo a gente não está isento de sentir doer.

é sobre as noites em que você conversou consigo mesmo e decidiu se levar a sério, sobre os acordos que você fez com você mesmo: quando teve coragem de dizer "não", independentemente do quanto queria dizer sim, porque você aprendeu que chances a gente dá a quem valoriza, não a quem banaliza.

tenha orgulho de você, quando você finalmente olhou pra você mesmo e acreditou que essa fase louca iria passar, como tantas outras fases já passaram, a dor iria passar, o medo iria passar, e você iria ficar com você.

eu admiro você.

demorou pra eu aprender, mas eu aprendi
que o meu bem-estar é inegociável.
eu não tenho que me submeter,
nem tolerar nada que me machuque.

nem por amor.

ESSA FASE RUIM VAI PASSAR E VOCÊ VAI CHEGAR LÁ.

tem sido foda, eu sei. e dizer "vai passar" parece ser óbvio demais, porque você já passou por dias cansativos outras vezes, por ciclos difíceis de serem rompidos, por relações que te consumiram, porque você já tentou e já se frustrou tantas vezes, e sabe que passa.

mas, até passar, a gente cansa, né? a gente se sente exausto, sem energia pra tentar de novo, duvidando da própria capacidade e dos próprios sonhos.

mas eu quero te dizer que, por mais que o momento que você está passando agora seja doloroso, não desiste, por favor! porque é esse momento de agora que vai te transformar na pessoa que você vai descobrir em você.

tem sido difícil. eu sei, eu sei. mas vem cá, eu te convido a colocar no seu fone de ouvido a sua música preferida, a olhar pra trás sem medo e ver tudo o que você suportou e superou pra chegar até aqui. as coisas podem até não estar do jeito que você gostaria, você pode até achar que a situação que está passando agora é nova pra você, mas você vai descobrir o melhor caminho. no tempo e no momento ideal.

eu não vou te dizer que você está passando por isso porque é forte o suficiente pra suportar. acho que isso faz a gente romantizar a dor e os momentos difíceis, sabe? eu prefiro dizer que, por mais difícil que seja esse processo, saiba que você não é fraco, você não é vazio, você consegue, e vai passar por essa fase porque você é foda pra caralho, entendeu?

eu te convido, em vez de fingir que nada está acontecendo, a observar o que está acontecendo agora, a enumerar suas qualidades e usá-las como arma. te convido a não largar a sua mão, a voltar a confiar em você e no que Deus, ou o destino, ou os orixás prepararam pra você.

te convido a acreditar que o processo não é o fim. que a sua fase ruim não é o todo.

e que você vai sim alcançar o que deseja.

SOBRE AMOR-PRÓPRIO E EGO.

amor-próprio também tem muito a ver com o modo como você lida com o "não", a forma como você reage quando alguém não te escolhe. o amor-próprio te faz aceitar e seguir o seu caminho, porque não é o "não" de alguém que vai acabar com você. mas quando você se distancia do amor-próprio, qualquer "não" te desmorona. até o "não" de uma pessoa que, se você parar pra pensar, nem faria o teu tipo, e talvez até passasse bem longe de ser uma pessoa que te faria bem. até o "não" de alguém que quase foi, que quase deu certo, que só ficou no quase porque se fosse mesmo pra ser, você saberia. até o "não" daquele ficante que, na verdade, nem se importa com você.

quando você perde a mão do amor-próprio, qualquer "não", mesmo aqueles irrelevantes (que você só percebe depois), acaba com você.

é claro que a gente sente quando a gente não é escolhido, ou quando a gente é trocado. a gente sente, mas, na verdade, é só o ego ferido da gente encontrando uma maneira de reagir e não aceitar quando a gente recebe um "não".

aos 17 anos, eu lembro que eu me desgastei tentando reconstruir uma relação que estava em ruínas; não tinha o que fazer a não ser aceitar que eu não precisava mais ficar ali. lembro também que, aos 19, eu me sabotei tanto a ponto de esquecer de mim em busca de fazer dar certo com alguém que claramente não me queria. depois eu entendi que, quando alguém escolhe a gente, a gente sabe, a gente sente, é leve, é recíproco.

aos 22, eu voltei a cometer o erro de me machucar só porque descobri uma traição. é óbvio que você sente quando é enganado, iludido, quando mentem pra você e brincam com os seus sentimentos. dói um bocado. mas depois entendi também que, por mais que as pessoas me machuquem, eu não mereço permanecer no lugar em que elas queriam me ver. eu não mereço arrancar a casca da ferida e me machucar ainda mais.

depois de tantas experiências, e de ter cometido o erro de ouvir o meu ego tantas vezes e me destruir só por um "não", eu aprendi a ouvir o meu corpo, a minha mente e a minha intuição, aprendi a considerar os "nãos" que recebi e que provavelmente ainda vou receber pelo caminho, aprendi a dizer "sim" pra mim mesmo, e também aprendi a dizer "não" aos outros, a colocar limites, a não aceitar nada, nem ninguém que desestabilize o meu emocional.

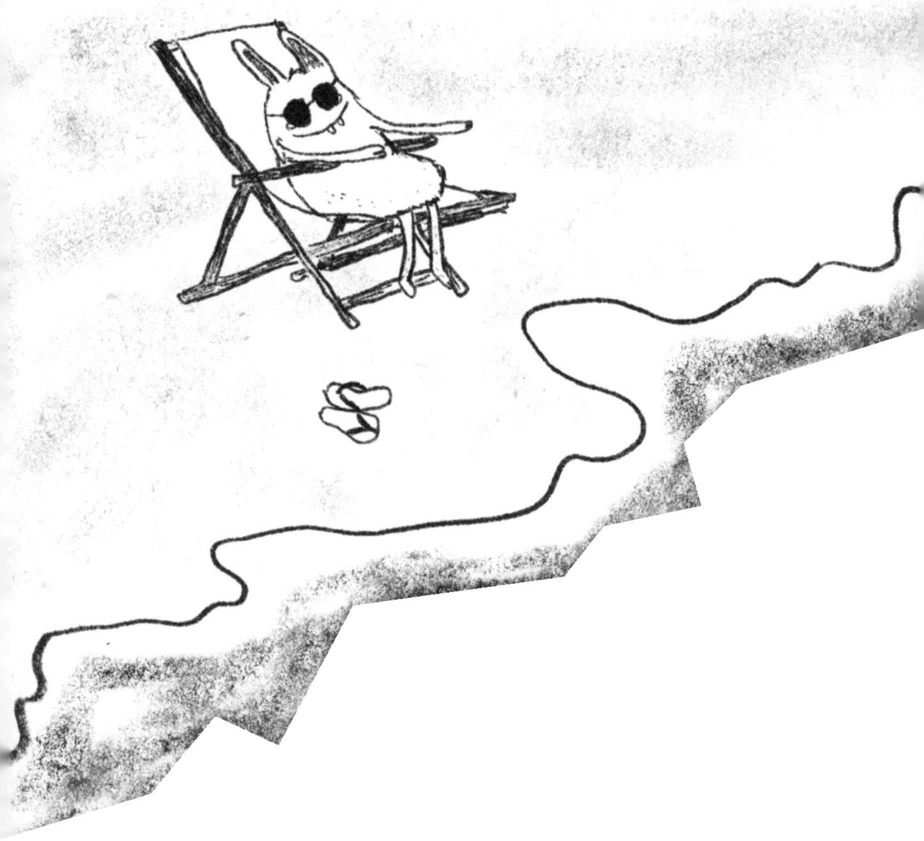

o tempo passa e cada vez mais a gente entende por que a gente precisa permitir que as coisas passem também.

uma hora a gente precisa escolher quais coisas merecem o nosso tempo e quais merecem o nosso silêncio.

QUANTO MAIS CONSCIENTE VOCÊ FOR, MENOS VOCÊ VAI ACEITAR FICAR EM LUGARES QUE NÃO TE FAZEM BEM.

e que só consomem a sua energia, se sujeitando a sentimentos que não te preenchem, ou se submetendo a relações que só infringem os seus limites.

quando você se sente exausto, com medo, inseguro, tudo isso também é um sinal de que aquele lugar ativa os seus gatilhos negativos. não é só sobre seus traumas e medos do passado, porque se você estivesse num lugar ideal, você se sentiria seguro, ainda que com seus medos guardados no seu peito.

quando a gente sente que é de verdade, a gente sente a nossa energia multiplicar em vez de diminuir, a coragem de ficar fala mais alto do que o medo, e ser vulnerável passa a ser só mais um detalhe que a gente precisa deixar que o outro veja, porque a gente sabe que o outro não vai nos ferir.

eu sei que às vezes a gente não consegue enxergar certas situações, por mais que estejam ali, estampadas na nossa

frente, mas ouça quando a sua intuição tentar te alertar.
tem coisas que a gente não enxerga, mas que a gente sente.

sinta você.
tenha certeza de que o que vem de dentro de você
vai sempre te direcionar pra um lugar melhor.
pro seu lugar.

não tenha medo de ser seletivo quando o assunto for
escolher as suas relações, e não pense duas vezes quando
precisar se escolher. opte por proteger o que você sente.
se escolha primeiramente. se te chamarem de egoísta
por isso, continue! cuidar de você nunca será egoísmo,
é sobre autocuidado, tenha certeza absoluta disso.

vão tentar te convencer de que o cuidado que você
aprendeu a ter por você, o valor que você finalmente
reconheceu ter, é egoísmo. mas você tem que
entender que as pessoas que mais se incomodam
quando você aprende a colocar os seus limites são
exatamente as pessoas que mais ultrapassavam eles.

a sua energia é importante, entenda que cultivá-la é sobre
saber quais espaços, pessoas e lugares, que vão senti-la,
regá-la ao invés de tentar podá-la, saber admirar
você e não querer te dobrar pra se conter.

você merece tudo o que soma,
o que te impulsiona e principalmente o que te eleva.

e lembre-se, a sua energia é preciosa
e só você pode cuidar dela.

eu me perdoo por todas as vezes que insisti em ficar
em lugares quando o meu peito já
implorava por minha partida.

AO IMPOR LIMITES, VOCÊ DESCOBRE SE É AMADO OU APENAS ÚTIL.

uma das coisas que vieram com os 30 e poucos anos foi a necessidade de colocar limites nas minhas relações, e entender a importância de não permitir que os outros invadam espaços que são só meus, ou que usem e abusem dos meus sentimentos e da minha boa vontade. é preciso compreender que a sua estabilidade emocional importa para além das relações que você constrói, que o cuidado que você precisa ter com você precisa estar acima do amor que você sente por alguém. afinal, o mais verdadeiro amor é aquele que respeita o seu espaço e compreende os seus limites.

me responde uma coisa: quem permanece na sua vida quando você deixa de ocupar o lugar de pessoa boazinha e começa a colocar limites nas suas relações? quem continua fazendo questão de estar com você quando você resolve dizer "não" pelo bem da sua saúde mental?

a verdade é que, à medida que impomos nossos limites, descobrimos a dura e crua realidade da vida adulta: se somos amados ou apenas úteis.

eu torço pra que você tenha coragem de assumir os seus limites, de dizer "chega!" e desacostumar a se submeter a situações por pensar no bem-estar do outro, enquanto negligencia o seu próprio bem-estar. torço pra que você reverbere a palavra "não" sem culpa e sempre que necessário, e entenda que recusar o que te incomoda é o que vai trazer as pessoas certas pra sua vida, aquelas que te aceitam e te respeitam de verdade. em alguns casos, se você descobrir que foi apenas útil, eu torço pra que você siga em paz, entendendo que os seus limites são inegociáveis.

vão te chamar de egoísta, e você não precisa fazer ninguém entender que você só está se colocando em primeiro lugar. provavelmente vão tentar fazer você se sentir uma péssima pessoa só porque você negou um "favor" entre tantos outros que o fizeram passar por cima de si mesmo só pra agradar, e é nesse momento que você vai perceber a importância de colocar o seu limite nos lugares em que vão tentar te colocar.

você não tem que aceitar esse lugar.
e também não tem que tentar convencer
ninguém do quanto você já foi uma boa pessoa. ponto.

quando você acredita que merece o melhor,
algumas relações, pessoas e lugares vão ficando pra trás.

quando a gente cria um filtro que separa as coisas que a gente merece de coisas que não somam mais, ainda que a gente goste, ainda que a gente esteja acostumado, ainda que a gente resista em abrir mão, a gente entende o que precisa deixar ir.

as experiências nos tornam mais exigentes e maduros, e no meio disso não tem tempo pra manter aquilo que nos impede de continuar. quando você acredita que merece o melhor, você começa a se levar mais a sério, a entender melhor os seus limites, e a de fato usá-los com sabedoria.

reconhecer que merece o melhor te faz também
aceitar que o pior precisa urgentemente ficar pra trás.

você ensina as pessoas como te tratar
decidindo o que você vai ou não aceitar.

daqui eu desejo que você busque ser amado.
e reconheça quando estiver sendo apenas útil;
assim, você saberá onde é e onde não é mais o seu lugar.

O TEMPO MUDA MUITA COISA, MAS NÃO NECESSARIAMENTE ELE MUDA DO JEITO QUE A GENTE QUER.

num dia desses em que a gente se sente mais reflexivo, uma amiga minha me mandou uma frase que dizia que *"o tempo muda muita coisa, mas não necessariamente ele muda do jeito que a gente quer"*.

talvez – em si – o tempo cure tudo. mas ele precisa exclusivamente de você. a sua disposição é um ponto crucial pra que o tempo dê início ao seu processo de cura. no meio do caminho, o descanso faz parte quando a gente se sentir exausto, em algumas fases a vida vai exigir mais força e por isso a gente vai se sentir cansado. e às vezes a gente até pensa: *se o tempo realmente cura tudo, por que ainda dói?*

e é exatamente nesse ponto que eu quero chegar. o tempo, sem ações, não necessariamente fará alguma coisa por você. a união do tempo com as nossas escolhas é o que, no final das contas, nos leva pra um lugar melhor que aquele em que estávamos.

acredito que o tempo é como um senhor, que vez ou
outra aparece na vida da gente pra lembrar que ele só
está de passagem, e que sim, com ele muitas coisas hão
de ir embora, mas que algumas coisas precisam da nossa
permissão pra que se vão. outras exigem da gente o
desapego e a aceitação de que já não fazem mais parte de
nós, ou uma parte de nós já não faz mais parte daquilo.
em resumo, toda escolha depende de uma renúncia.
e o tempo nos pede o primeiro passo, ou melhor,
o tempo nos pede o caminhar, o seguir em frente.

é assim que se cura.

eu pensei em quantas vezes eu já ouvi de pessoas
próximas e também já aconselhei as pessoas que amo
dizendo "deixe o tempo consertar as coisas", como se
ele não precisasse da nossa voz ativa, de uma ação pra
fazer sentido. e quantas vezes já disse pra mim mesmo
"respeite o seu tempo" e me abstive de fazer escolhas
importantes e que me tiraram do lugar que eu queria sair.

o mais correto seria aceitar que o seu tempo pode resolver
muita coisa. mas, sem você, ele não resolve nada. porque
quando você escolhe fazer parte do seu tempo, ele vem com
muitas despedidas. e é aí que você sente que está passando.

e sentir faz parte do processo de cura.

a melhor coisa que eu fiz por mim foi
colocar limites nas relações
e principalmente na minha relação comigo mesmo.
é sempre importante se perguntar:
"*esse lugar ainda me cabe?*"
"*eu estou recebendo o que mereço ou
só me acostumei com isso?*"

aprendi que o limite é: até onde me faz bem.

você tem que parar de gastar o seu tempo e a sua energia tentando consertar coisas que não foi você quem quebrou.

leia novamente.

eu desejo que, por mais que o seu processo de cura
seja difícil e pesado, você não perca a coragem de amar,
e tentar de novo, e recomeçar.

por você. porque você merece o melhor.

MATURIDADE É UMA COISA BONITA, NÉ?

esses dias eu ouvi uma moça dizer que a casca de banana sempre vai estar no meio do caminho. o que muda é que, com maturidade e autoconhecimento, a gente levanta muito mais rápido da queda.

e eu acho que é isso. não existe uma vida sem tropeços e sem decepções, sabe? eu sinto te dizer isso – não é o que eu desejo, tá? –, mas provavelmente você e eu, a gente vai tropeçar, se não nas próprias expectativas e projeções, nos nossos próprios passos.

sabe quando a gente ama e a gente quer simplesmente que valha a pena? então, provavelmente a gente vai quebrar a cara algumas vezes, pra entender que querer não é exatamente o que faz uma relação durar; pode ser essencial, mas não só isso. e a gente percebe isso, essa diferença entre querer e merecer, com a maturidade.

não existe uma vida sem questões, o que existe é você evoluindo e também aprendendo a aceitar os acontecimentos inesperados. olhando pras situações de outra maneira.

como é boa a sensação de olhar pra uma situação e pensar: *eu agiria totalmente diferente hoje.* e que bom que eu amadureci. o mais interessante é que algumas questões perdem o seu valor, ou ao menos perdem a força com que atingem a gente. a gente aprende a encontrar conforto no desconforto.

eu lembro do dia em que, aos 17, eu me envolvi com uma pessoa e, no auge da minha imaturidade sentimental e com a minha mania de negligenciar o meu amor-próprio pra priorizar o amor que eu sentia pela outra pessoa, me tornei dependente emocional, e essa relação durou oito anos. imagine aí que em todo esse tempo uma parte de mim me pedia pra ir embora, enquanto outra parte insistia em ficar pra não ter que lidar com o processo de me reconectar comigo mesmo e amadurecer. ainda que eu soubesse que amadurecer era necessário e o que me faria entender muito mais sobre mim, eu escolhi ficar por mais tempo do que deveria.

anos mais tarde, depois de ter passado por todo o processo de término, de reencontro comigo mesmo, de curar minhas marcas pela insistência e teimosia, eu aprendi algumas coisas e não cometi o mesmo erro aos 25. mas cometi novos. escorreguei em novas cascas de banana. mas aprendi e não cometi novamente aos 26. depois aos 28. depois aos 30.

é sobre isso. a maturidade não te isenta da queda. você até cai, mas levanta mais rápido. e que coisa boa é olhar pra aquilo que te afetava antes e dizer: "aqui não! agora não! não tem mais espaço!".

ALGUMAS COISINHAS SOBRE RELACIONAMENTOS SOBRE AS QUAIS EU GOSTARIA DE TER SIDO AVISADO ANTES DOS 30:

1. se você precisa se perguntar se uma relação é boa pra você, provavelmente ela não é.

2. aprenda a amar a sua própria companhia pra que quando as pessoas saírem da sua vida você continue bem acompanhado.

3. o amor está nas pequenas coisas. às vezes nos pequenos atos. nas pequenas lembranças. quando alguém lembra que você não gosta de uva-passa no arroz, ou que prefere chocolate meio amargo, por exemplo, isso também é sobre atenção e cuidado.

4. não existem atalhos pra evitar a dor de um término. entre em contato com isso.
é sentindo que a gente se permite crescer.

5. rejeição faz parte da vida. ninguém é obrigado a te querer. as pessoas perdem o gosto pelas outras. por mais que isso te incomode, isso não te torna menos interessante.

6. voltar pra uma pessoa que já te machucou é a mesma coisa que dizer: "machuca mais".

7. você pode sentir saudade de alguém e, ainda assim, não querer essa pessoa de volta.

8. bloquear alguém não é sinal de fraqueza e imaturidade, é sua responsabilidade se livrar e se distanciar de tudo o que consome a tua energia. se essa foi a melhor escolha pro seu bem-estar emocional, tá tudo bem!

9. quando se perguntar por que você não está conseguindo superar, tenta fazer um teste de prioridades: em vez de continuar mantendo coisas inúteis como prioridade na sua vida – por exemplo: pensar por que você não conseguiu superar –, escolha priorizar você, vá fazer o que você ama fazer, ficar com pessoas que realmente gostam de você. não vai sobrar tempo pra você pensar em quem já foi, porque você estará ocupado demais com você.

10. a gente perde muito tempo tentando entender por que o outro machucou a gente, quando na verdade a gente poderia aproveitar esse tempo olhando pra nós mesmos, nos curando, nos cuidando, superando.

DE TODOS OS AMORES QUE CONHECI, O AMOR QUE EU SINTO POR MIM É O MAIS LINDO DE TODOS.

é o mais sereno.
é o mais acolhedor.
é o que me regenera.

me amar é um caminho sem volta. é o que me faz seguir em frente e ter coragem pra enfrentar as inúmeras possibilidades que a vida vai me apresentar, e suportar as consequências das minhas escolhas, sejam elas certas ou erradas, e aprender a admirar os meus erros também, e me ensinar a me perdoar quando eu cometer o deslize de insistir por mais tempo do que deveria em alguma coisa que só precisava que eu soltasse, afinal a gente só sustenta aquilo que a gente acha que merece, e acredito que já cheguei numa fase de saber que o peso de certas coisas impede a gente de voar se a gente não tiver coragem de soltar.

eu quero facilidade, fluidez, leveza, sabe?

dizem que nada que vem fácil é admirável. mas acho que cheguei num nível da vida que eu prefiro que as coisas sejam fáceis, leves e serenas. no meio do caminho a gente já tropeça demais, eu não quero mais dificuldade do que já existe.

aceito de bom grado o que for leve, o que
chegar fácil. sem aperreio, sem sofrimento.

que o amor possa me fazer enxergar quando eu precisar
me retirar, e que eu possa também entender que algumas
vezes eu vou precisar me retirar antes mesmo do amor
que eu sinto acabar, às vezes o processo começa antes de
certas despedidas. a gente vai aprendendo no cru que
em algumas situações vai ser preciso transformar o amor
que a gente um dia sentiu em algo que não vai nem mais
despertar o arrepio de sequer um pelo do nosso corpo.

que o amor que eu sinto por mim não me faça esquecer
o motivo pelo qual eu preciso continuar sentindo ele.

pra me afastar de tudo que cogitar me distanciar de
mim, de tudo que pensar na possibilidade de me fazer
acreditar em mentiras com a intenção de que eu me
diminua. que o amor que eu sinto por mim continue
sendo ponte pra eu voltar pra mim quando reconhecer
que eu estava em um lugar que não era pra mim.
que o amor que eu sinto por mim me receba sempre
assim: de portas abertas e sorriso de perdão pra que
eu reconheça que não estou só – mesmo sozinho.

que esse amor reverbere em mim e seja como
um lembrete fixado na minha mente: você
é amável. você merece ser amado.

eu me encontro quando eu me amo.
eu me resgato quando eu me amo.
eu me acolho quando eu me amo.

quando você descobrir que pode sentir por você o amor
que sempre quis dar pra alguém, você vai perceber o quão
mais leve as coisas vão se tornar.

descobrir a sua capacidade de se amar expande
a sua maneira de amar aos outros.

o processo de cura é estranho, né?

uma hora você sente que está passando, outra hora você sente como se tivesse acontecido ontem. mas é sobre isso, sobre você se perceber diante dos seus altos e baixos, e entender que vai chegar o seu melhor momento, o pior só precisa passar.

e vai.

SE A GENTE NÃO FIZER UMA AUTOANÁLISE E UMA AUTOCRÍTICA TODA VEZ QUE FINALIZAR UM CICLO, A GENTE VAI CONTINUAR REPETINDO OS MESMOS CICLOS RUINS.

uma coisa que eu observei em mim, com o término de uma relação péssima que eu tive, é que ela só durou mais tempo do que deveria porque eu permiti que ela durasse. E sim, doeu perceber isso, mas eu não deveria fugir dessa realidade. eu escolhi estar em um lugar que já tinha me dado muitos motivos pra eu ir embora. tudo bem que sim, a outra pessoa foi tóxica, escrota, manipuladora, traíra, mentirosa, péssima comigo, e ter me submetido a perder o meu tempo permanecendo mais do que a minha saúde mental suportou em uma relação assim não tira o peso nem a medida da falta de caráter de alguém. mas a responsabilidade de manter aquela pessoa na minha vida, mesmo ela sendo tudo isso comigo, foi exclusivamente minha.

e é necessário a gente encarar o fato de que às vezes a gente
insiste demais em relações e pessoas que já mostraram
suficientemente que o nosso lugar não é mais ali.

foi encarando esse fato que eu aprendi o valor do meu
tempo e do meu afeto. e passei a ter mais critérios
quanto a quem fica na minha vida. eu posso até
falhar de vez em quando e permitir que alguém que
não mereço cruze o meu caminho, mas esse alguém
não permanece. e essa é a grande diferença entre
gostar de alguém e saber que isso não é suficiente.

outro péssimo comportamento que eu tinha comigo era
ficar buscando respostas que provassem que o outro não era
o que eu merecia, mesmo quando eu já sentia que o outro
não estava sendo tão sincero assim comigo. então, já que
a outra pessoa não era tão clara e verdadeira comigo, eu
perdia o meu tempo tentando procurar respostas pra que,
assim, eu conseguisse escolher a minha partida.
Só que eu poderia ter escolhido partir sem precisar perder
o meu tempo tentando descobrir algo que eu já sentia
dentro de mim, e já sabia que eu não precisava daquilo.

se você acredita que não merece o lugar em que está,
se você acha que não precisa se submeter a certas
situações, se você sente que alguém não está te fazendo
bem, você não precisa procurar mais respostas pra te
provar que você tem que sair dali. eu te aconselharia a
poupar o seu tempo, a recolher o seu afeto e cair fora.

Eu, por exemplo, stalkeava, passava horas observando
quem a pessoa seguiu, se trocou likes, eu ficava procurando
comentários (e encontrava, claro). eu encontrava aquilo
que eu não queria encontrar, mas eu encontrava só porque

eu procurava. eu buscava provas, e quando encontrava, eu me sentia sem valor, desinteressante, minha autoestima despencava de um prédio de quarenta andares. além de perder tempo demais da minha vida, eu estragava a minha mente só pra ter respostas. e então eu te pergunto: será que o teu tempo é menos importante do que buscar respostas de alguém quando você já sabe as respostas?

com as minhas escolhas eu aprendi a importância da coragem, e entendi também que, por mais corajoso e decidido que você seja, você sente. porque algumas escolhas vão doer, exigem renúncia. porque você sente o peso do tempo que você dedicou a algo de que precisou se desfazer.

o que eu quero te dizer com esse meu relato é que a sua saúde mental precisa ser a escolha máxima na sua vida. independentemente da intensidade de uma relação, da voracidade de um sentimento, da vontade de ficar. a sua saúde precisa ser o ponto mais importante na sua vida, entendeu?

além dos erros que os outros vão cometer com você, você não tem que se machucar ainda mais numa relação cometendo erros com você. se eu puder te dar outro conselho, seria: analise as atitudes que você tem com você mesmo diante daquilo que você recebe do outro. se o que o outro tem te oferecido não é o que você merece, você não tem que tentar provar pro outro que ele está te dando pouco ou sendo alguém que você não quer na sua vida.

você só tem que fazer suas escolhas. e eu espero que você tenha força, coragem e discernimento pra fazer boas escolhas, ainda que depois de ter feito escolhas não tão boas assim.

o processo de amadurecimento
é muito mais sobre olhar pras suas feridas
do que olhar pra quem te feriu.

PODE NÃO SER O QUE VOCÊ ESPERAVA QUE FOSSE, MAS TAMBÉM PODE SER BEM MAIS DO QUE VOCÊ ACHOU QUE SERIA. ENTÃO, TENTA!

o grande problema era que eu não me permitia sequer gostar de alguém. eu até encontrava pessoas interessadas e interessantes no meio do caminho, mas eu não queria ter trabalho de conhecer o que elas tinham pra me apresentar, sabe? eu tinha preguiça. preferia ficar na minha. porque passei tanto tempo fazendo péssimas escolhas, insistindo em relações ruins, dedicando meu tempo a pessoas que não somavam na minha vida, que eu cheguei no meu limite. no limite das minhas tentativas.

e foi então que descobri em mim um conforto que nenhuma outra relação havia me proporcionado, um amor que eu podia sentir por mim que ninguém foi capaz de demonstrar. acho que quando você reconhece que é a pessoa mais importante da sua vida, que é com você que você vai ficar no final de tudo, você aprende o que é o amor. e o amor não pode ser nada menos do que isso. você não deve aceitar que te amem menos do quanto você se ama.

porque, pensa comigo, você acorda com você, toma café da manhã com você, vai trabalhar com você, almoça, lancha, toma banho com você. canta, dança, tropeça, ri, chora, tudo com você. você chega em casa com você, se cansa com você, descansa com você. assiste à sua série favorita com você, lê um livro, e vai dormir com você. por mais que tenha pessoas com você, por mais que você tenha uma rede de apoio, a única pessoa que tá com você o tempo todo é você mesmo. portanto, se ame e se cuide. porque se você, que é a pessoa que passa o dia todo com você, não fizer isso, não vai ser outra pessoa que vai fazer.

e quando entendi que eu era a pessoa mais importante diante de todas as possibilidades que a vida iria me apresentar, e que eu era importante diante de todos os sentimentos que eu iria sentir, e que eu merecia o melhor do amor diante de todas as relações e pessoas que cruzassem o meu caminho, eu compreendi que o medo só serve pra me distanciar das possibilidades, e que incríveis podem ser essas possibilidades se eu me permitir prová-las. o medo me distanciava desse gosto de ao menos tentar descobrir o que poderia acontecer antes de desistir e conviver com a sensação de leve dúvida do que poderia ter acontecido.

se a gente sente medo de quase tudo, por que não tentar quando aquela tentativa pode nos apresentar uma infinidade de sensações boas também? não tem como saber como vai ser, mas também você nunca vai saber como poderia ter sido só olhando distante e acenando um tchau só porque você está com medo ou cansado.

tudo bem, se você estiver cansado, descansa um pouco. às vezes o tempo ajuda (com a nossa colaboração ativa, claro). mas se você tiver vontade e só estiver com medo, tenta. é possibilidade. e possibilidades podem dar certo, ou não dar tão certo assim. podem não ser o que você esperava que fossem, mas também podem ser bem mais do que você achou que seriam.

a gente tem uma certa resistência em
aceitar que não está dando certo
porque tudo o que a gente queria era que desse!

só que, na vida, algumas coisas não vão dar certo,
por mais que a gente tente. e a gente
só entende lá na frente.

você sabe que a pessoa vale a pena quando
ela te trata hoje da mesma forma que
te tratava quando queria te conquistar.

TER SE TORNADO EXIGENTE DEMAIS É MEIO DOLOROSO, E EU POSSO TE DIZER POR QUÊ.

porque às vezes você quer muito, mas percebe que precisa querer menos ou não querer mais, porque você consegue facilmente identificar, nas atitudes e nos comportamentos, traços que já te machucaram. você não aceita qualquer coisa, mas na verdade parece que você não aceita mais nada.

se você encontra alguém que quer ficar, você precisa pensar se essa pessoa merece ficar. e, bom, na maioria das vezes você acha que não merece. não porque você não quer exatamente. a verdade é que às vezes você até quer, quer muito, às vezes você tem até coragem pra viver aquilo, você até sente o seu corpo dando sinais de que quer sentir aquilo, em arrepios, em frio na barriga, numa palpitação involuntária. mas isso não é o suficiente porque você reconhece que já sentiu isso outras vezes, e se apegou tanto a coisas tão pequenas que tornou o raso confortável por um tempo.

às vezes você também se pega pensando se os traumas te transformaram em alguém exigente demais, ou se você sente medo a ponto de evitar tudo o que for minimamente parecido com o que você já viveu.

esse conflito dói.
o processo que te transformou em alguém que não aceita qualquer coisa por conta de tudo o que você já aceitou, e a que se submeteu e te machucou, não é tão fácil quanto se imagina.

o encontro com o seu amor-próprio não é lá tão leve assim. você sente o impacto. você olha pra dentro e vê os seus cômodos mais vazios, mas não por falta de essência, e sim porque você aprendeu a organizar cada coisa em cada lugar. você prefere ter mais espaço pra si do que preencher esses espaços com o vazio dos outros, e você entendeu também que acumular não é a mesma coisa que complementar. e é sobre isso que você aprendeu, as pessoas e relações não precisam ser um acúmulo, mas sim um complemento em seu caminho.

abraçar o teu amor-próprio definitivamente não é um processo leve. às vezes é como abraçar um cacto, sabe? você sente os seus próprios espinhos, aprende a lidar com eles, a aceitar suas marcas. até você entender a força, o seu valor e a sua resistência, você sente os espinhos.

o amor-próprio apresenta você a você, e a partir disso você começa a aprender quem merece estar na sua vida e quem não. quais relações merecem a sua entrega e quais você dará passagem pra porta de saída, qual lugar você merece ocupar pra se expandir e quais não te cabem.

você se torna mais exigente e maduro mesmo. e você entra em diversos conflitos porque estar sozinho assusta às vezes. mas você vai entender que aquele ditado clichê faz total sentido: melhor sozinho que mal acompanhado.

você não pode permitir que os outros
te façam se sentir culpado
porque você escolheu você.

se você é a parte mais importante da sua vida,
você precisa se escolher em primeiro lugar.

se livre da culpa de escolher a si mesmo.

EU TE DESEJO BOAS ESCOLHAS!

desejo pra você: boas escolhas! porque não tem coisa melhor do que desejar isso pra alguém, segundo o que eu tenho apreendido ao longo da minha vida, e diante das boas escolhas e das escolhas não tão boas assim. eu sei a importância de escolher o melhor caminho, de escolher as relações certas, que vão te fortalecer e ensinar o quão leve é construir relações recíprocas. que você possa perceber o que realmente te faz bem, e o que não faz mais tão bem assim, e tomar uma decisão.

eu desejo o equilíbrio perfeito entre o falar e o agir. sabe aquelas decisões que você fala pra si mesmo que precisa tomar? eu desejo que você finalmente consiga agir.

e que não fique mentindo pra si mesmo, tentando se convencer de que um lugar é um bom lugar pra estar quando na verdade só está acostumado a permanecer ali, porque tem medo de fazer uma escolha, de dar os primeiros passos. escolher a si não deveria vir com uma sensação de culpa, porque você nunca vai estar errado ao escolher a sua saúde mental, nunca será um equívoco a escolha de seguir com você. pode até dar medo, concordo. pode ser confuso. o processo pode ser difícil. mas nunca vai ser um erro escolher você.

eu desejo que você saiba o momento de se escolher. e eu sei que talvez sejam as péssimas escolhas que te ensinem a se reinventar, se descobrir. aperfeiçoar seu filtro de desejo e merecimento é saber definir o que você merece e aquilo que não merece, mesmo que teime em querer. por isso eu te desejo boas escolhas!

e que você entenda também que fazer boas escolhas requer renúncia. optar por ciclos mais confortáveis e verdadeiros às vezes exige que você rompa ciclos desconfortáveis. você precisará pisar em seu próprio ego pra tirar da sua vida pessoas e coisas que você não queria soltar e que já não merecem o seu tempo e a sua energia.

boas escolhas, meu bem, também doem. a diferença é que, ainda assim, são boas escolhas. e essas vêm com cura, com equilíbrio, com a sensação de leveza imensurável de estar realmente no lugar que você merece, de aceitar de fato o que você merece.

a maturidade te ensina a aceitar que
nem tudo o que você quer
é o que você realmente merece.

existem relações e pessoas que você vai
querer muito manter na sua vida,
mas vai precisar entender que não
merece aquilo que machuca,
que te desequilibra, que te faz duvidar de você.

EU DESEJO QUE VOCÊ SE CURE DOS MACHUCADOS QUE TE DERAM MESMO QUANDO VOCÊ OFERECEU O SEU MELHOR.

eu não te conheço, mas eu sei que a gente tá sempre precisando ouvir ou ler coisas que aqueçam o coração, palavras que sejam acolhimento. e diante dos dias difíceis, das quedas e dos nossos tropeços, eu tô aqui pra te desejar também: força! porque eu sei que isso você tem de sobra.

a verdade é que ninguém sabe da força que você vem fazendo pra tentar se curar do que você não conta a ninguém, e ninguém compreende também por que às vezes você fica quieto, na sua, mas quando as coisas pesam você retorna pros seus próprios braços porque reconhece que é lá que você vai resolver um pouco do que te aflige. não é que você se afasta dos outros, é que tem momentos em que você precisa se aproximar mais de você, né? eu te entendo.

e nesse processo de conversar consigo mesmo, de cuidar das suas feridas, de se abraçar com força até perceber o momento de continuar, você encontra vários de você.

e então aquele seu eu que um dia duvidou de você reaparece pra te dizer: eu estava errado, você vai conseguir, como sempre conseguiu. aquele outro "você", que pensou que não iria suportar ou superar algo que te derrubou, chega pra te dizer: foi só um tombo, você retornará mais forte!

é sempre assim. você retornará mais forte!

eu quero te lembrar que, apesar das pessoas te dizerem "você precisa seguir em frente", "vai passar", "você é forte", eu só quero te lembrar para além de todas as frases clichês: é admirável o jeito como você luta por você. afinal, não existe ninguém, além de você mesmo, que assumiria esse posto com tamanha perfeição.

só você conhece o seu coração. só você sabe o caminho por onde passou. ninguém será capaz de dizer o quanto você se esforçou pra tentar se curar de feridas antigas.

eu te convido a olhar pra trás e reconhecer o que te fez chegar até aqui. você se trouxe aqui e agora, e você se levará aonde você merece chegar. em alguns momentos, foi pesado, eu sei. mas só pessoas muito corajosas conseguem fazer o que você fez por você.

VOCÊ NÃO CONHECEU TODAS AS PESSOAS QUE AINDA VÃO TE AMAR.

em uma conversa com uma amiga sobre términos
e o medo de perder quem a gente ama,
eu falei que não tinha tanto medo assim de perder pessoas,
de permitir que relações que já chegaram
à sua fase final na minha vida
tomassem um outro rumo, de deixar que
ciclos que perderam a conexão
se desconectassem de vez pra se
conectarem com outras pessoas,
porque eu sei que da mesma forma aconteceria comigo.

eu mereço permitir que conexões reais e
compatíveis sejam presentes na minha vida.

porque eu sigo a teoria de que o
próximo sempre vai ser melhor,
e isso não é sobre diminuir quem já passou pela minha vida,
ou negar o que estou vivendo no presente por
esperar sempre que o próximo seja melhor,
mas sim sobre reconhecer que eu estou sempre mudando,
que eu não vou ser o mesmo daqui
a uns meses, e com certeza,
se estou em constante evolução, é normal
que eu encontre novas pessoas

mais compatíveis com as novas versões
de mim que vão surgindo.

se alguém saiu da minha vida ou da sua, é porque talvez
o tempo de aprendizado dessa pessoa
na nossa vida tenha acabado.

eu sei que muitas vezes é difícil admitir
que acabou e a gente tem
uma certa resistência em aceitar o fim. porque a gente
cresceu ouvindo que, pra ser bom, precisa permanecer
pra sempre. que, pra ser memorável, precisa durar.
e nesse ponto aqui, a vida ainda vai te surpreender muito,
porque se você ainda não aprendeu que memória não
é exatamente sobre tempo, provavelmente você vai
aprender quando algo que durou pouco tempo se tornar
uma memória bonita, e algo que durou muito tempo
fizer você rezar pra que essa memória seja esquecida.
só contaram pra gente sobre tentar, e
tentar, e tentar, mas não contaram
o quão necessário é reconhecer quando
você já tentou o suficiente.

em uma outra parte da nossa conversa, a
minha amiga disse que despedidas doem.
e sim, concordo. independentemente do
quão preparado você esteja, vai doer.
mas eu gosto de viver a vida como uma
escola, a gente viveu junto.
a gente evoluiu junto até certo ponto. e tá
tudo bem a gente evoluir separado agora.

a gente precisa tornar as despedidas mais leves,
se desprender do egoísmo de achar

que todo mundo que está na nossa vida vai
permanecer até o fim dela, porque
por mais que a gente mereça que as pessoas
fiquem, a gente merece também
que as pessoas partam quando não mais fizerem
sentido, porque pensando assim a gente abre um
espaço gigantesco para novas possibilidades, e não
existe nada mais satisfatório do que estar aberto
a evoluir, mudar, aprender e se transformar.

o que eu quero dizer é que você ainda não
conheceu todas as pessoas que vão te amar.
e digo isso porque você vai conhecer tantas
outras versões atualizadas de você também,
outros novos "eus" de você tão melhores que o seu
"eu" de agora. uma versão melhorada de você, que
inclusive vai ser melhor por conta dessa pessoa
que passou pela sua vida. uma versão melhor, com
pessoas melhores, que podem ser novas pessoas ou
a versão melhorada das pessoas que já estão.

você não precisa ficar esperando sempre um
próximo melhor, você só precisa se lembrar de
que, caso acabe, você não tem que se apegar ao
que passou, nem insistir pra ninguém ficar, porque
à frente existe um mundo de possibilidades.

não acaba quando a última pessoa que
você amou deixou de te querer.
ou quando você precisou deixar de querer
a última pessoa que você amou.

você ainda não conheceu todas as pessoas que vão te amar.

eu aprendi que, quando você consegue
se tratar melhor do que qualquer outra pessoa te trataria,
você entende que não precisa do outro pra se sentir bem,
você escolhe as pessoas como complemento na sua jornada,
jamais como necessidade.

ninguém vai pegar na tua mão e te ensinar
como passar pelos seus processos.

você vai aprender isso no cru.

ninguém vai te mostrar como você poderá amadurecer.
você vai aprender isso ao seu próprio lado.

e é exatamente por isso que você
precisa cuidar de você primeiro.

NÃO, VOCÊ NÃO É DIFÍCIL DE SER AMADO.

não tem como não começar este texto falando sobre afeto sem tocar em um ponto bem específico da minha vida, uma fase em que eu vivi uma relação pesada, a qual me fez acreditar que eu não merecia afeto.

e eu vou te contar por que eu cometi o erro de acreditar que não merecia o melhor do amor, só porque alguém tinha me apresentado o pior. a minha terapeuta disse que, quando a gente passa por traumas, a gente lida com um processo denso de insegurança. esse processo pode durar meses, anos, até que a gente tenha coragem pra tentar novamente. a gente vive com uma sensação de que qualquer pessoa que se aproximar vai machucar a gente. a gente constrói um muro de autodefesa, pensando que assim a gente vai estar mais protegido. se eu não permito que ninguém se aproxime, não existe a possibilidade de alguém me machucar.

lembro que eu passei muito tempo sem querer ninguém, e tudo bem você sentir que não quer ninguém, que é muito mais sobre você estar com você, pra se cuidar, amadurecer, sabe? só que eu lembro que eu tive momentos em que eu queria muito viver algo, e em outros eu até senti vontade de querer e ser querido, de amar e sentir o amor do outro tocando o meu, de entrar numa aventura para além do frio na barriga, mas eu me fechava antes

disso acontecer, eu me retirava antes do outro dar motivos
pra que isso acontecesse. o frio na barriga muitas vezes
era ansiedade, insegurança, um medo bobo de reviver
o que não foi bom, sendo que eu sequer me permitia
viver aquela possibilidade de um possível afeto.

é isso que relações pesadas fazem com a gente, nos afastam
das possibilidades de relações leves, principalmente quando
a gente ignora os sinais no começo, quando a gente se
acostuma com o pouco, quando a gente engrandece
um afeto mesquinho e se contenta com o raso que ele
oferece. e daí, quando a gente cai na real, a gente já está
preenchido de muitas inseguranças, medos e traumas.

eu passei anos acreditando que eu não merecia afeto,
porque eu aprendi que o amor era loucura, era gritaria,
altos e baixos, era coração acelerado, ansiedade, era
perder noites de sono tentando compreender alguém
que mentia pra mim, era passar horas discutindo na
ligação e gastando a minha saúde mental, até que eu
dormisse por cansaço físico e exaustão mental.

e, por isso, eu quero te dizer algumas coisas (as quais
eu disse pra mim mesmo ao longo desse processo):

não.
você não é difícil de ser amado.

talvez você só estivesse se sentindo inseguro no momento,
o que é normal, já que você depositou confiança
demais em alguém que te magoou. você vai chegar
na fase em que vai reconhecer que merece o melhor,
simplesmente porque você sempre deu o seu melhor.

você tem um coração bom e uma alma pura. é por
isso que você sente tudo tão intensamente.
é por isso que você tem capacidade pra
se curar intensamente também.
e saiba de uma coisa, esse é o seu
superpoder. não a sua fraqueza.

você é feito da mesma fonte de energia que criou
os oceanos, as florestas, as montanhas,
os vales e todas as estrelas do céu. então por
que você não pode ter o melhor do afeto?

você merece sim um amor
tranquilo. descomplicado, sem pressa.
estável e consistente. você merece alguém
que tenha certeza de você,
e que você tenha certeza dele também.
você merece um amor gentil.

não permita que as péssimas experiências que
você viveu definam o que você merece viver.

se reconheça como a pessoa foda que você é, valorize
as suas qualidades, reconheça também a importância
do seu tempo, saiba que a sua intensidade não vai fazer
alguém te machucar. é exatamente pela sua essência
que as pessoas certas vão se aproximar de você.

e, por fim, normalize o ato de se afastar de quem faz
você acreditar que você é difícil de ser amado.

SER AFETO NÃO É SER EMOCIONADO.

eu não sou emocionado por tratar os outros com afeto, carinho, respeito e sinceridade. isso pra mim é o mínimo que posso fazer. tratar bem não significa que o outro já seja o amor da minha vida, significa que eu só dou aquilo que tenho.

tem gente que já acha que você está apaixonado, que já quer casar e ter cinco filhos só por você dar afeto, ser sincero e atencioso.

gente! isso é o mínimo!!!

eu até concordo quando dizem que afeto pode levar a gente a sentir as coisas de uma maneira, e daí tudo pode ir pra um caminho que a gente não estava preparado, mas discordo quando dizem que eu preciso economizar na minha maneira de expressar o meu afeto se eu não quiser compromisso sério.

me parece morno e egoísta demais eu permitir que alguém entre na minha vida/passe por ela sem ao menos tratar essa pessoa como eu acho que ela merece. e não tem nada de mais dar aquilo que tenho pra dar, de forma natural, leve e sincera.

pra mim, as coisas poderiam realmente ser mais simples do que parecem ser. o problema não é a forma do afeto

com o qual a gente trata as pessoas que passam pela
nossa vida, o problema são as pessoas que parecem
traumatizadas demais a ponto de acharem que você
só consegue ou deve dar o seu melhor pra aqueles
com quem você tem intenção de ter algo sério.

independentemente do tempo que uma relação dure, da
intensidade ou superficialidade de um ciclo, se é um "fica"
ou um "algo mais sério", todas as pessoas vão ter de mim
o meu melhor. provavelmente, se eu quiser vê-las, eu vou
sair de casa debaixo de chuva, às duas da madrugada.
se eu sentir saudade, procuro. não tem tempo ruim.

não vejo motivos para enxergar alguém que eu permito
que me toque como algo insignificante. ainda que
algumas pessoas e relações não signifiquem muito, ou
tenham pesos, intensidade e medidas diferentes pra
mim, eu não vou olhar pra quem passou por mim
como algo vazio que não merece o mínimo: afeto.

se for apenas um date, ou uma ficada de uma noite,
ou algo que me desperte a vontade de continuar,
independente. o que você carrega consigo reflete a
maneira como você trata quem cruza o teu caminho.
isso independe do tempo que o outro permaneça ao
teu lado. o afeto é gratuito, mínimo e essencial.

O QUE A GENTE FAZ QUANDO BATE A SAUDADE?

o que a gente faz quando a gente se acostuma a observar a pessoa de quem a gente gosta e depois restam só as paredes? o que a gente faz com essa falta que fica solta no espaço e às vezes, em silêncio, faz tanto barulho dentro da gente que tira o sono? o que fazer quando a gente pega o celular e a primeira coisa que aparece é um assunto ou um lugar que lembra a pessoa?

a gente ri, né?
ou chora.

outro dia eu ouvi um neurocientista dizer que quando a gente passa por algum momento específico de conquista, despedida, saudade, enfim, algo que marca a gente, o cérebro da gente começa a reparar em exatamente tudo aquilo com que a gente se sente conectado e passa a mostrar pra gente algo que sempre esteve ali, mas que antes passava despercebido ao nosso olhar. é isso que acontece com as nossas emoções, a alegria e a tristeza estão ali, na mesma proporção, só que a gente só vai perceber e se aproximar daquilo com que a gente se sente conectado.

eu quero dizer que eu passei por esse processo louco de quando a gente começa a perceber o outro em todo canto. num cheiro de perfume de um desconhecido que passou por mim, numa música que tocava aleatoriamente, num jeito ou gesto de alguém, num lugar ou numa fotografia, numa cor, em número, em tudo! e isso acontece porque em vez da gente se perceber agora, se cuidar, se dar a prioridade que a gente merece, e recolocar nossas prioridades, nossas ambições e nossos planos no espaço que ficou, a gente olha pro espaço que era do outro e tenta encontrar o outro.

eu sei que isso faz parte do processo até a gente
aprender a lidar com nossas emoções. mas
você não precisa se deixar pra trás e mergulhar
em memórias que não vão te fazer bem.

se o sentimento que você está sentindo agora (ou que você sentiu – e passou) é de que o seu mundo acabou, eu preciso te dizer que esse mundo vai acabar outras vezes. e vai ficar tudo bem. não se surpreenda, não é uma novidade.

acaba, mas a gente se reconstrói depois.
depois de um tempo, claro.

amanhã talvez você nem note.
você vai perceber que sarou antes
mesmo de trocar o curativo.
e vai ficar tudo bem.

uma das coisas mais preciosas que aprendi
na minha vida emocional foi não gastar a
minha energia com coisas que eu não consigo mudar.

e isso inclui: o que os outros pensam de mim.
os meus erros passados.
e as minhas tentativas que não deram certo.

SENTIR FALTA FAZ PARTE DO PROCESSO. MAS ACEITAR DE VOLTA AQUILO QUE TE MACHUCA É VOCÊ SABOTAR O SEU PROCESSO DE EVOLUÇÃO.

às vezes a gente esquece de se cuidar e se tratar como prioridade porque a gente tá mais preocupado em querer ser a primeira prioridade do outro. e às vezes a gente esquece que o outro tem uma vida pra viver, e que o outro já existia antes da gente chegar, da mesma forma que a gente já existia antes do outro chegar.

e é por isso que eu sempre digo: independentemente de estar ou não com alguém, de compartilhar a sua vida com alguém, seja você a sua primeira prioridade! você é quem tem que ser a pessoa principal da tua vida. quando você entende isso, você reconhece o valor de ter os seus corres, de ter os seus próprios sonhos, e de ser o amor da sua vida pra se compartilhar com os outros.

esses dias eu lembrei de todas as vezes que achei que perdi tudo só porque perdi alguém, quando na verdade tudo que eu tinha sempre esteve comigo: eu mesmo!

a gente não tem como voltar ao passado pra dar aquele tapa na nossa cara e dizer: "vai ficar tudo bem, então para de ficar lamentando por ter perdido tão pouco".

e eu sei que a gente sempre sente quando a gente abre mão de alguém de quem a gente gosta, quando a gente vai contra a nossa própria vontade porque a gente precisa primeiramente seguir a nossa razão e acreditar na nossa intuição. eu sei que, por mais seguro que a gente seja, a gente tem partes de fraqueza e fragmentos de medo que fazem a gente se sabotar e achar que sentir falta é precisar ter de volta. e a gente sabe que uma coisa não tem nada a ver com a outra.

sentir falta faz parte do processo.
aceitar de volta aquilo que te machuca é você sabotar o seu processo e a sua evolução.

e a gente aprende que ao longo da nossa jornada pessoas vão embora, ciclos precisam ser fechados, amores dão lugar a outros. ainda que a gente sinta, a gente sabe também que vai ficar tudo bem.

e a gente aprende que perder faz parte, e que a coisa mais importante da nossa vida é a gente. é a nossa essência. é isso que a gente não pode perder.
é disso que a gente não pode abrir mão.

SE TRANSFORMAR É UM PROCESSO.

e o mais assustador nisso tudo são as fases que você precisa passar e nas quais deve se reconhecer. sozinho.

você quer que as coisas, as dores passem rápido demais, principalmente quando tem uma certa dificuldade em lidar com o que acabou, com o que já não faz parte da sua vida de forma física, mas continua fazendo em memória e sentimento, ou quando acha que, forçando as coisas a passar, vai esquecer mais rápido.

mas as coisas não funcionam assim.
as coisas não são tão fáceis quanto parecem.
alguns processos são desgastantes demais.
e às vezes você tropeça nos próprios passos pra entender que pra passar é preciso sentir, e talvez não passe amanhã, mas semana que vem você sinta um pouco menos.

e então você aprende que a parte mais importante disso tudo é você. você vai ser quem vai perceber cada pedaço de você e vai apanhar pra consertar. esse vai ser o momento em que você vai precisar se olhar com mais carinho e se aceitar de volta com mais perdão.

você vai aprender a perdoar os seus erros, e vai aprender também a perdoar até quando você deu o seu melhor, quando escolheu dar afeto mesmo quando te machucaram, quando deu chances demais, quando

ouviu demais, quando perdoou demais, quando ofereceu
afeto, ainda que te faltassem com reciprocidade.
você vai aprender a se perdoar disso também.

não é só sobre você querer ficar bem, é sobre entender
que você vai ficar bem; mas, antes, você vai sentir.

você vai chorar. vai se sentir pequeno. vai ter medo
de reabrir o coração novamente. vai ter que aprender
com os novos traumas. vai colocar em dúvida a
sua capacidade de receber o melhor dos outros.
mas você vai encontrar a coragem pra seguir.

isso tudo é um processo de autoconhecimento.
se desprender de um ciclo faz você recalcular a rota.
encerrar uma relação exige que você reaprenda a preencher
os espaços que ficam. se despedir de um sentimento
faz você ter que reaprender sobre outros, pra que você
possa encarar um fim não como o fim do mundo, mas
como um novo recomeço. porque você merece.

e até lá você vai sentir.

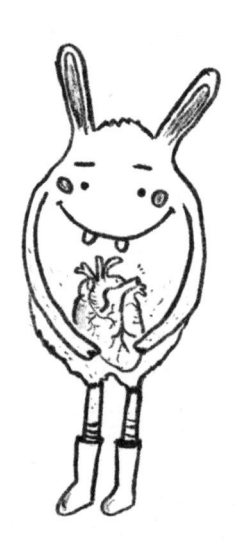

UMA VEZ EU DISSE PRA UMA PESSOA QUE EU A AMAVA, MAS QUE NÃO PRECISAVA DELA. E A REAÇÃO DELA FOI: "COMO ASSIM, VOCÊ TÁ COMIGO, MAS NÃO PRECISA DE MIM?".

eu explico…

"sim, eu não preciso de você. a única coisa que me faz ficar é o amor que eu sinto. isso é o suficiente. mas não preciso de você."

claro que, no primeiro impacto, a pessoa achou que não tinha tanta importância assim pra mim.
que estava ali só preenchendo um espaço e tempo, e que a qualquer momento eu poderia não querer mais.

mas o amor não é um sentimento que te prende. acho que o amor é muito mais sobre algo fluido, que te deixa livre pra você escolher ficar não porque você precisa, mas sim porque você quer. porque ficar te faz bem,

porque ficar te preenche de alguma maneira, porque
ficar te faz reconhecer que ali, por enquanto, é o teu
lugar. não por obrigação, mas sim por vontade própria.

isso é sobre ser honesto. com você e com o
outro. e o amor é sobre honestidade.

acho que, quando alguém entra na vida da gente, é natural
que cada vez mais a gente escancare nossos cômodos pra
que o outro conheça os nossos anseios e vulnerabilidades,
nossas manias e gostos, nossos antigos traumas e projetos
futuros. isso requer tempo, dedicação e muito afeto, claro.
mas, ainda assim, nada disso é sobre precisar. você não
conta sobre os seus machucados pra alguém porque você
precisa daquela pessoa na sua vida, você conta porque
você acredita que aquela pessoa vai te ouvir e te acolher.

você não vai amar alguém porque você acha
que precisa daquela pessoa, até porque antes de
conhecê-la você sequer sabia que podia amá-la.

a gente ama por amor, e não por necessidade.

a outra pessoa decidiu ir embora por não entender o que
eu quis dizer, ou talvez por não ter reconhecido ainda que
precisava dela, e não de mim. reconhecendo o quanto
ela precisava dela primeiro, talvez estivesse preparada
pra me amar por querer, por vontade, por amor.

doeu, mas passou.
afinal, eu sabia que precisava ainda mais
de mim naquele momento.

PESSOAS BOAS SEMPRE VENCEM.

eu desejo muito que você se cure daquelas marcas
que você não contou pra ninguém. torço pra que suas
feridas cicatrizem e que você volte a colocar o seu corpo
e a sua alma pro amor te transbordar outra vez.

desejo que você volte a sentir aquela sensação de quando a
gente sente vontade de amar, sabe?
de quando a gente reconhece que merece o melhor, de
quando a gente acredita que uma hora a vida nos
abençoa com algo que vai intensificar o brilho no olhar
e afrouxar ainda mais o sorriso. aquela sensação de
receber o que se dá, de colher o que se planta, sabe?

eu espero que você enxergue a força dos seus passos
e acredite que você chegará aonde deseja, e que
jamais pense que as suas quedas e os seus tropeços
vão te impedir de alguma coisa. porque não vão.

eu espero que o tempo te mostre que não é culpa sua
ter se dedicado pra dar o seu melhor e, no final das
contas, recebido o pior dos outros. que o motivo de
te enganarem não é porque você foi bom demais.
eu torço pra que você entenda que isso não é sobre você.

eu li por aí que pessoas boas sempre vencem. e acredito
nisso. por isso eu quero dizer que você vai vencer,
e que cedo ou tarde a vida vai te mostrar isso.

eu desejo que nada nem ninguém consiga te tirar a sua
mania de ser aquela pessoa que chega pra somar, pra
acrescentar, pra expandir. porque esse é o seu jeito.
é genuinamente admirável. e você não merece abrir mão
disso só porque as pessoas erradas cruzaram o teu caminho.

desejo que você continue sendo você, que em sua
mais pura essência você tenha mais consciência
sobre o que você merece, e reconheça quando
precisar abrir mão quando não merecer.

e por último, mas não menos importante, eu não
estou aqui pra exigir que você se ame, mas pelo menos
que você seja incapaz de amar quem não te ama.

pessoas boas sempre vencem, acredite.

PARA QUANDO VOCÊ SE SENTIR INSIGNIFICANTE NESTE MUNDO.

eu sei que às vezes você não consegue
enxergar o quão importante você é,
e por mais que você se reconheça como
a parte mais importante
de todos os processos que você passou,
existem momentos em que você
perde a mão com você e comete o erro de
ignorar a sua força e a sua resistência.
afinal, quando você cogitou a possibilidade de
desistir, foi ela que te orientou a seguir.
quando você acreditou que não merecia o
melhor do amor, foi a sua força que não
deixou que você se resumisse às suas quedas.
foi ela que te transformou e te guiou até
a porta de saída das situações que te diminuíram,
das relações que te machucavam,
das promessas que te contaram com o intuito
de te tornar refém de migalhas e te fazer
se acostumar ao mínimo.

eu nem sei quais caminhos você percorreu, em quais
situações você se sentiu perdido nem o que fez pra
se reencontrar. eu não também sei quais dores você
precisou ressignificar, nem de quais traumas você

precisou se livrar ou as marcas que você carrega consigo
até hoje. eu não sei quantas vezes caiu em buracos nem
como você se tirou de lá, mas eu sei que você precisou
ser forte pra caramba pra passar por tudo isso.

e eu quero te dizer que você pode até pensar que você é
insignificante neste mundo, mas alguém bebe café naquela
caneca favorita que você deu e lembra de você com
carinho. alguém gosta de você (mais pessoas do que você
imagina) e lembra de você por uma ação admirável que
você teve, uma ação de que você talvez você nem lembre,
e que você sequer percebeu o quão importante você foi
nesse momento pro outro. alguém ouviu uma música e
lembrou de você. alguém leu o livro que você recomendou
e mergulhou de cabeça nele. alguém sorriu depois de um
dia difícil porque lembrou da piada que você contou.

alguém se ama um pouco mais porque você o elogiou.
alguém se sentiu mais amado porque você se declarou.
alguém acreditou que amanhã poderia ser melhor
porque iria te encontrar e passar uma tarde conversando
com você no trabalho ou no intervalo do curso.

alguém falou de você pra outro alguém, e te citou
como referência bonita porque um dia você soltou uma
perspectiva de enxergar a vida que inspirou essa pessoa.

um dia alguém sentiu a dor ser fracionada, a
decepção ser um pouquinho mais leve, ou um
momento turbulento diminuir o impacto, depois de
conversar com você porque a sua maneira de ouvir
a fragilidade do outro torna as coisas mais leves.

entenda que tudo isso não é sobre os outros exatamente.
é sobre a sua influência por onde você passa.
é sobre o quanto a sua essência impacta a vida ao
seu redor, o quanto você é foda. não pense que
você não tem nenhuma influência. a marca que
você deixa nas pessoas não pode ser apagada.

que você finalize este livro sabendo reconhecer
ainda mais a sua força, e o quão importante
você é, e quanto amor você merece.

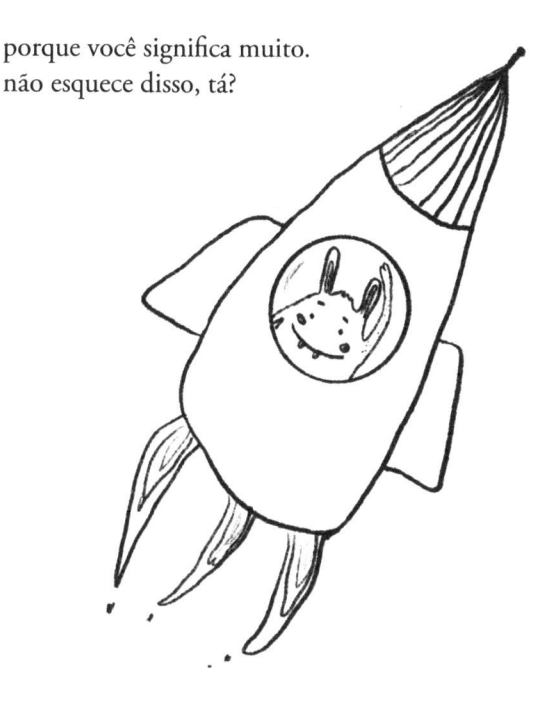

porque você significa muito.
não esquece disso, tá?

LEIA TAMBÉM

- talvez a sua jornada agora seja só sobre você — iandê albuquerque
- PARA TODAS AS PESSOAS RESILIENTES — IANDÊ ALBUQUERQUE
- PARA TODAS AS PESSOAS INTENSAS — IANDÊ ALBUQUERQUE
- PARA TODAS AS PESSOAS APAIXONANTES — IANDÊ ALBUQUERQUE
- Onde não existir reciprocidade, não se demore — IANDÊ ALBUQUERQUE